9 15

D0334744

WAT

Please renew or return items by the date shown on your receipt

www.hertsdirect.org/libraries

Renewals and enquiries: 0300 123 4049

Textphone for hearing or   0300 123 4041
speech impaired users:

L32

MEURTRE DANS LE BOUDOIR

Né en 1964, Frédéric Lenormand, auteur de romans historiques, est spécialiste du XVIIIe siècle, de la Révolution et de la Terreur. Il est notamment réputé pour ses séries *L'Orphelin sur la Bastille*, *Les Nouvelles Enquêtes du juge Ti* et *Voltaire mène l'enquête* – dont le titre *La baronne meurt à cinq heures* a reçu en 2011 le prix Arsène Lupin et le prix Historia du roman policier historique.

Paru dans Le Livre de Poche :

FRÉDÉRIC LENORMAND

Meurtre dans le boudoir

Voltaire mène l'enquête

ROMAN

JC LATTÈS

© Éditions Jean-Claude Lattès, 2012.
ISBN : 978-2-253-16889-8 – 1ʳᵉ publication LGF

Une des principales causes de la débauche que l'on remarque aujourd'hui dans notre jeunesse est la lecture de certains livres obscènes que quelques misérables auteurs répandent, de temps en temps, dans le public. Le nombre de ces infâmes ouvrages s'est extrêmement multiplié depuis quelques années.

La Bigarrure ou Gazette galante,
La Haye, octobre 1750.

PERSONNAGES HISTORIQUES, RÉELS,
VÉRIDIQUES ET AYANT EXISTÉ

FRANÇOIS-MARIE AROUET DE VOLTAIRE
ÉMILIE LE TONNELIER DE BRETEUIL, marquise du Châtelet
MICHEL LINANT, abbé
RENÉ HÉRAULT, lieutenant général de police
CÉRAN, secrétaire-copiste-valet de Voltaire
DUMOULIN, homme d'affaires de Voltaire
LOUIS FRANÇOIS ARMAND DE VIGNEROT DU PLESSIS, duc de Richelieu
NICOLAS LENGLET DU FRESNOY, bibliographe
PIERRE-FRANÇOIS GODARD DE BEAUCHAMPS, inspecteur de la Librairie
PROSPER JOLYOT DE CRÉBILLON, dit Crébillon père, dramaturge
CLAUDE-PROSPER JOLYOT DE CRÉBILLON, dit Crébillon fils, romancier
CLAUDE GODARD D'AUCOUR, écrivain en herbe
JOSEPH DE LORRAINE-HARCOURT, prince de Guise

CHAPITRE PREMIER

Comment un bon bourgeois qui voulait voir l'Orient s'embarqua pour un voyage sans retour.

Un monsieur discret, enveloppé dans une cape de la même couleur muraille que son tricorne, se laissait conduire à la nuit tombée par un gamin le long de l'abbaye de Saint-Martin-des-Champs. Arrivé rue du Vert-Bois, il donna une pièce au garçon et s'en fut frapper à la porte d'une maison bourgeoise, au fond d'une allée.

La servante qui lui ouvrit portait un joli tablier blanc assorti à sa coiffe de dentelle, si bien qu'il crut s'être trompé d'adresse. Sans poser de question, elle l'introduisit dans un vestibule banal, puis dans un salon qui n'avait rien de remarquable, où trois jeunes femmes et une dame entre deux âges brodaient, assises sur un canapé.

— Pardonnez-moi, mesdames, d'interrompre vos travaux. Je viens sur la recommandation d'un ami. Il m'a affirmé que l'on pourrait ici me procurer un service un peu particulier…

La maîtresse de maison quitta l'aiguille et sourit au visiteur. Son décolleté mettait en valeur deux attributs susceptibles de ranimer l'intérêt des curieux, pour le cas où la timidité l'eût emporté sur la luxure. Votre conscience pouvait toujours vous souffler : « Fuis ! », la poitrine de Madame vous criait : « Reste ! »

— Votre Seigneurie ne doit pas se gêner : la particularité est comme qui dirait notre marotte.

Encouragé, le monsieur précisa sa pensée.

— J'aimerais rencontrer une houri.

— Quelle merveilleuse idée ! s'extasia son hôtesse comme s'il avait proposé de pousser jusqu'à Marly après un pique-nique dans le parc de Saint-Cloud.

Après une pause, elle ajouta :

— Qu'est-ce donc ?

L'amateur d'hétaïres tira de son pourpoint un petit volume qu'il avait fait relier en cuir et l'ouvrit sur une gravure. Il désirait voir reproduire autant que possible la scène décrite dans le chapitre. La dame prit le livre et contempla le dessin. On voyait une personne voilée, le nombril à l'air, de teint ambré, dans un décor à l'orientale.

— Oh, mais bien sûr ! Rien de plus facile ! Asseyez-vous déjà sur ce sofa, nous vous ferons servir une douceur tandis que votre petite récréation sera préparée.

Le visiteur patienta entre deux jeunes filles pleines de modestie qui lui firent déguster des gâteaux et des sirops. Elles étaient aussi bien élevées que ses nièces, ce qui créait un contraste piquant avec l'échancrure de leur corsage et les sortilèges de l'endroit où ils étaient. Quant au monsieur, son embonpoint disgracieux, ses petits yeux marron trop rapprochés, lui donnaient un air porcin qui allait bien avec son nez court comme un groin. Ses manières douceureuses et son habit sobre suggérèrent à ces demoiselles un genre de métier censé le tenir à l'écart de leur commerce.

Après qu'on eut évoqué la rubrique des spectacles permis aux jeunes personnes de bonnes familles et les modes de l'année, pour ce que le visiteur en connaissait, la réapparition de Madame évita de justesse à la conversation de rouler sur la tiédeur du printemps. Son hôtesse le conduisit au cabinet rouge, où l'attendait l'inconnue au ventre découvert. Ce n'était pas une chambre à coucher, mais un boudoir d'assez petites dimensions, avec des tentures aux motifs turcs et des meubles bas en bois sculpté. Point de lit, mais deux confortables divans garnis de coussins qui invitaient plutôt à s'y ébattre qu'à s'y asseoir. Les yeux de braise de la moukère le magnétisaient par-dessus le voile. On était bien à Istanbul, terre des voluptés asiatiques et du loukoum moelleux. Enchanté, le voyageur immobile s'empara de son livre : il sembla qu'on allait avoir une séance de lecture ébouriffante.

Madame laissa à leur tête-à-tête l'heureux élu et sa vierge céleste. On vivait en un temps où quelques phrases bien tournées, un peu suggestives, suffisaient pour émoustiller un public éduqué, de même qu'un peu de peau dénudée ici ou là, alliée à quelques fanfreluches indiennes, comblait des appétits dont la satisfaction se payait en bons écus. Elle retourna broder avec ses filleules, dans la paix d'un foyer bourgeois qui se doublait d'une entreprise prospère.

Il ne s'était pas écoulé une demi-heure – Madame imaginait qu'on devait toucher, dans le kiosque du Bosphore, à l'instant crucial où la sultane cédait aux avances de son effendi – quand des cris épouvantables firent piquer les aiguilles dans le cadre des canevas ou dans la paume des brodeuses. Les jeunes filles se figèrent. Madame courut à la porte du cabinet rouge. Comme les exclamations aiguës ne cessaient pas, elle se décida à frapper. Nulle réponse, hormis les hurlements. La serrure n'était pas verrouillée.

La belle Orientale était à genoux sur le divan, raide et parcourue de tremblements. Elle avait perdu son voile, on voyait l'intérieur de sa bouche grande ouverte, d'où s'échappaient des couinements saccadés. Son bon ami gisait sur le dos, en travers du tapis, immobile, culotte et gilet déboutonnés. Sa perruque avait glissé de son crâne chauve.

Madame appliqua d'abord une gifle au minaret vivant pour faire taire le muezzin. Le silence à peu près revenu, elle se pencha sur le client. Il s'était crispé sous l'effet d'une souffrance brève et intense. Ce genre d'inconvénient n'était pas rare, mais il était contrariant. L'homme était mort dans les délices, à défaut d'être mort de plaisir. Celle qui n'était pas extatique, c'était Madame. Les jappements poussés à pleins poumons avaient sûrement été entendus. Si quelqu'un devait donner l'alerte, il fallait que ce fût elle plutôt que le voisinage. Dénoncée, elle deviendrait suspecte. Dénonciatrice, et tant pis pour la réputation du gros inconnu au cœur fragile, il se trouverait peut-être même un commissaire pour la plaindre.

Devant l'immeuble de la rue du Vert-Bois, le lieutenant général René Hérault dégrafa la cape noire qui lui descendait aux chevilles. Il portait en dessous un habit clair et bien coupé. Passer inaperçu dans les rues de Paris, se poser en grand bourgeois dans les salons, telle était sa manière.

Nombre de chevaux stationnaient là comme au marché. À l'intérieur régnaient le dieu Chaos et sa petite sœur, la Bousculade. Hérault fut accueilli par le commissaire du quartier, qui l'avait fait quérir, vu l'incongruité des faits. Il avait échoué à repousser l'invasion qui avait déferlé sur la maison : alors qu'elle courait au poste le plus proche, la servante avait rencontré le guet à pied, puis le guet monté, et ces deux corps d'armes étaient accourus comme au cabaret.

— Vous avez la charge de la prostitution sur la voie publique, vous, dit Hérault au capitaine du guet monté.

— Cet homme est venu par la rue, répondit le cavalier avec la conviction d'un missionnaire expliquant aux Zoulous que la Sainte Vierge est la version chrétienne de la déesse Mamlambo. Je vérifie qu'il n'a pas été racolé sur la chaussée. Je vais interroger les filles. La rouquine, là-bas, m'a l'air très suspecte.

Hérault se tourna vers le capitaine du guet à pied, qui aidait aux descentes de police.

— Nous avons la responsabilité de la fermeture des mauvais lieux, rappela l'officier. S'il faut fermer cet endroit, nous sommes prêts !

Fouiller les jupes des courtisanes devait être plus intéressant que de patrouiller dans la nuit froide à la recherche des ivrognes.

— On me fera plaisir quand on dissoudra ce corps-là, marmonna Hérault.

— Une institution qui remonte à Philippe Auguste ! se récria son commissaire.

— Justement, il a fait son temps, le corps de Philippe Auguste.

Il y avait aussi des Gardes Suisses, qui n'étaient pas descendus de leurs montagnes lointaines pour manquer les occasions divertissantes. Les Gardes-Françaises étaient en train de se faire offrir une démonstration de danses lascives pour bien cerner les circonstances du drame. René Hérault rencontra enfin l'abbé de Saint-Martin-des-Champs. Sa communauté se prévalait d'un droit de justice féodale aboli depuis plusieurs années, mais qui s'était mué de façon tacite en « droit de regard » sur les actes de justice conduits dans le quartier.

— Monsieur l'abbé ? dit Hérault, le sourcil interrogateur.

— Je vais confesser toutes ces demoiselles, ça vous aidera, déclara l'homme d'Église, les joues écarlates, avant de se diriger vers une petite blonde frisée qui devait avoir beaucoup à raconter.

Pour une fois, Hérault espéra qu'on l'avait dérangé pour rien : cette affluence désordonnée rendait toute enquête impossible.

Le commissaire l'introduisit dans un boudoir décoré de tissus de Damas et d'estampes aux tons criards où des coquettes bien en chair se prélassaient dans les vapeurs de bains turcs. Dès qu'il vit le corps, le lieutenant général comprit qu'il avait un problème :

le gros défunt sans cheveux avait la bave aux lèvres, la langue verte, les yeux injectés de sang.

Madame accourut, salua le haut fonctionnaire de la police parisienne et l'interrogea du regard.

— C'est une crise d'apoplexie…, annonça-t-il.

Le soulagement de la maquerelle fut notable.

— … provoquée par l'ingestion d'un poison violent.

Elle posa sur sa joue fardée une main garnie de bagues.

— Justes Cieux ! Qu'avons-nous fait de mal pour être frappées par le sort !

Hérault aurait pu lui suggérer quelques réponses inspirées par l'emploi du temps de ses protégées. Il fit rapidement les poches du cadavre. Outre un missel, il y trouva une bourse bien remplie et une montre en or, signes que ces dames n'avaient pas profité des circonstances pour se servir, et aussi un billet de diligence, ce qui laissait penser qu'on avait affaire à un provincial. Il avait au doigt un rubis monté en anneau et, autour du cou, une chaîne d'où pendait une croix en diamant. L'accident était d'autant plus fâcheux que, si l'on en jugeait par la valeur de ces effets, le défunt était un noble ou un riche bourgeois dont la triste fin ne passerait pas inaperçue.

Hérault demanda à son hôtesse quel service le visiteur avait réclamé.

— Ce monsieur avait envie d'exotisme. Notre cabinet rouge était le cadre idéal. Il m'a montré une gravure qui y ressemblait beaucoup. Nous nous plions en quatre pour satisfaire les goûts de la clientèle, surtout lorsque ces goûts sont innocents.

Hérault ne se prononça pas sur l'innocence des plaisirs qu'on prodiguait ici. Il se réjouit néanmoins à la pensée qu'il existait encore des commerces de bonne renommée où l'on se dévouait par amour du travail bien fait.

Il voulut savoir combien de filles étaient là au moment du drame – il ne pouvait les compter à cause de tous ces policiers qui lui cachaient la vue. Madame avait ce soir-là ses quatre pensionnaires, plus les « demoiselles de journée », qui venaient selon les besoins.

— Notre visiteur avait demandé une mulâtresse.

— Vous avez cela ?

— Certes non ! C'est une rareté, on les retient à l'avance.

Elle lui désigna une jeune femme très affligée qui se tamponnait les yeux, assise sur une bergère, au milieu d'un groupe de gardes émus. Sa face était marron avec, sous les paupières, de grandes traînées délavées. Il comprit qu'on lui avait tartiné toutes les parties visibles, le visage, le cou, les mains et le ventre, pour leur conférer ce teint d'ambre, en lui donnant pour consigne de souffler la chandelle si elle venait à dévoiler le reste.

— Et il en a été content ? s'enquit Hérault.

En se fondant sur l'état dans lequel on l'avait découvert, on estimait que oui.

Le lieutenant général songea que ce pauvre homme était mort sur un malentendu. Madame vit bien que le policier était exaspéré par cette frénésie digne du carnaval.

— Ces messieurs voudront peut-être examiner le salon chinois ?

Elle pria l'une des demoiselles de les y mener, et l'on se dirigea comme un seul homme vers des chinoiseries pleines de promesses. Hérault put enfin accéder au principal témoin. Entre deux sanglots qui n'étaient plus que de circonstance, la houri au cirage déclara que le « gentil monsieur » lui avait donné lecture d'un livre. Il s'était arrêté pour tirer de sa poche une petite boîte émaillée et avait avalé quatre ou cinq pilules blanches avec un peu de liqueur d'un flacon qui était là. Tandis qu'il lisait, elle s'était efforcée de gigoter de façon à faire onduler son bassin, les pieds nus, comme sur la gravure.

Il y avait donc un livre. Le commissaire n'en avait pas trouvé dans le boudoir.

— Quel était-il, ce livre ?

— Du genre de ceux que Votre Seigneurie fait brûler, répondit Madame.

— Un livre de Voltaire ? s'écria le lieutenant général.

— Mais non, vous savez bien : l'un de ces petits romans paillards… Je peux vous garantir que nous n'avons rien de tel ici. Je ne tolère pas le mauvais esprit.

Hérault fut satisfait d'apprendre que les filles publiques, au moins, avaient de la moralité. Il récapitula les éléments qu'il avait réunis. Il y avait donc un livre, dont on ne savait ce que c'était, et une boîte de pilules, dont on ignorait le contenu, et les deux objets s'étaient évanouis dans la nuit profonde. Seuls restaient le flacon en verre translucide et la sultane d'occasion. Le premier lui semblait bien innocent, la seconde fort épouvantée.

— Il faut l'excuser, dit Madame : c'est son premier décès.

Pour sa part, le lieutenant de police en avait trop vu pour que cela lui fît encore de l'effet. Il était impossible de réfléchir dans ce bruit, dans cette agitation. Il frappa dans ses mains.

— Que toutes les personnes qui n'ont pas l'intention d'enquêter sur un meurtre sordide vident les lieux !

Des exclamations scandalisées s'élevèrent.

— Je ne reçois mes ordres que du prévôt de Paris !

— Du Parlement !

— Du ministre de la Maison du roi !

— De Mgr l'évêque ! dit le dernier, ce qui affligea Hérault plus que tout le reste.

Quand ils s'avisèrent de ce que le mot « meurtre » avait été prononcé, ils poursuivirent leur expédition dans le monde du vice par la chambre du crime : cela ferait quelque chose à raconter, le lendemain, à la taverne. Un garde suisse prétendait emporter un cordon de rideau en souvenir ; le capitaine du guet monté promit de revenir au plus tôt avec quelques amis friands d'émotions fortes ; on entendit un troisième déclarer qu'il voulait montrer cela à sa femme, et de mauvais esprits crurent reconnaître la voix de monsieur l'abbé.

Hérault ne tirerait rien de cet endroit. Les bottes et les mains gantées de ces messieurs auraient bientôt effacé toute trace, brouillé toute piste. Il lui fallait un homme que les charmes des ensorceleuses ne désarçonneraient pas ; un personnage doté d'une impassibilité quasi philosophique ; en somme une chimère, un monstre, un être à part, insaisissable, étonnant, imprévisible, rien de ce qu'il employait dans les bureaux de sa lieutenance.

Il arracha son commissaire à une inspection des commodes remplies de dentelles et de rubans arrangés en garnitures.

— Tamaillon, savez-vous à quelle activité illicite se livre Voltaire, ces jours-ci ?

— On dit qu'il se meurt, monseigneur.

Hérault résolut de le faire ressusciter, et même avec des coups de pied au derrière s'il en était besoin.

CHAPITRE DEUXIÈME

Où l'on voit la police attiser
les souffrances d'un honnête
commerçant en grain.

On voyait, en cette mi-mai 1733, par les fenêtres de la rue de Longpont, la façade monumentale de l'église Saint-Gervais, œuvre récente, dont la sobriété bien raide était propre à séduire un esthète qui se situait lui-même à la pointe du bon goût. Ce décor était, pour le locataire de l'appartement, un baume au milieu de ses souffrances, il lui procurait un soulagement comparable à celui des potions et lavements si nécessaires au rétablissement de ses intestins, estomac et autres parties de son système digestif délabré.

Le seul beau tissu de la pièce était celui de sa robe d'intérieur, un taffetas rayé bleu et vert, généreusement doublé et rembourré ; en deux mots : un équipement de survie. Le malade portait un bonnet à pompon qui lui évitait de s'enrhumer par le haut quand il ôtait sa lourde perruque. Il dictait à un secrétaire poitrinaire nommé Céran, qui crachotait sur les pages, au grand agacement du maître.

Afin d'égarer la police, dont le jugement littéraire était rustique, l'écrivain prenait la précaution de ne pas contacter directement son libraire-imprimeur[1] de Rouen, un nommé Jore qui avait bien du courage. Il priait ses amis rouennais de confisquer à ce Jore tout manuscrit de sa main et ordonnait qu'on adressât le reste des épreuves à « M. du Breuil, cloître Saint-Merry », surtout sans inscrire le nom de Voltaire. Par la même, il interdisait au libraire de publier ses *Lettres philosophiques anglaises* sans son accord formel et réclamait qu'on lui envoyât cent exemplaires du premier tirage. Sa belle tragédie de *Charles XII*, en revanche, M. Jore pouvait en imprimer autant qu'il le voudrait, bien que ce dernier eût certainement préféré le contraire.

La dictée achevée, Voltaire renvoya Céran et se traîna jusqu'au petit lit aux rideaux verts qui était le long du mur. Le médecin avait dit qu'il souffrait d'une colique. Puisqu'il était condamné par la science, il désirait consacrer son ultime répit à la seule chose qui le divertît vraiment : la correction des feuillets envoyés par Jore. Il en commença la lecture, calé contre ses oreillers, du café à portée de main, dans le doux parfum d'une décoction qui lui avait nettoyé les intérieurs une heure plus tôt et qui servirait à nouveau avant de dormir.

Les parties philosophiques de son recueil avaient sa préférence, notamment celles où il attaquait l'Église et la féodalité à la française.

---

1. C'était un triste temps où ni le mot ni la profession d'éditeur n'existaient encore.

— Suis-je donc taquin, dit-il pour lui-même.

Céran vint annoncer qu'un visiteur se permettait d'insister pour déranger les mourants qui lisent. Voltaire grogna. C'était horripilant, surtout quand on était en pleine révision de textes d'un intérêt capital pour la pensée moderne. Il n'y avait pas moyen de travailler en paix au bien-être du genre humain, même dans les derniers instants que vous accordait le grand horloger de l'univers.

— Dites que je suis mort. Sauf si c'est pour acheter du grain, vendre de la paille, discuter de mes œuvres ou apporter un lavement.

— Je crois que c'est la police, répondit le secrétaire, gêné.

Les épreuves des *Lettres philosophiques anglaises* bondirent en l'air.

— La police portuaire ? demanda l'écrivain.

Il se précipita pour cacher ses livres de comptes, imprudemment distribués sur deux tables où n'importe quel œil de comptable malintentionné pourrait les voir.

— Plutôt la police des mœurs, je dirais, l'informa Céran. Pourquoi la police portuaire voudrait-elle voir monsieur ?

— Pour rien, dit Voltaire.

Il lâcha ses livres de comptes, rassembla les épreuves des *Lettres* en un tas informe qu'il fourra sous le matelas. Il fallait espérer qu'on ne pousserait pas la barbarie jusqu'à déplacer un moribond pour fouiller sous son postérieur endolori quoique parfumé.

— Il vient peut-être pour une bonne nouvelle ? supposa le secrétaire en suivant d'un œil interloqué les évolutions du locataire en chemise.

Voltaire lui jeta un regard plein de pitié. Pourquoi s'entourait-il de sots ?

— Nous avons plus de chances de voir la Sainte Vierge réciter la bulle *Unigenitus* entre les colonnes de Saint-Gervais en face que d'entendre la police m'annoncer une bonne nouvelle.

La Sainte Vierge ne s'étant pas matérialisée de l'autre côté des carreaux, mieux valait se préparer à recevoir le diable. Il rabattit les couvertures sur son corps maigre et ferma les yeux pour se donner une contenance de dépouille mortuaire.

Quand il les rouvrit, il constata combien il avait deviné juste. Il avait craint de voir entrer chez lui quelque démon issu du Châtelet, et c'était Lucifer en personne qui venait porter la ruine et la désolation dans son humble logis. René Hérault arborait sa figure habituelle de molosse à trois têtes qui n'a pas eu son content d'âmes à ronger. De sa voix de basse profonde, il s'excusa de déranger son hôte alors que celui-ci paraissait indisposé.

Voltaire émit un gémissement. C'était bien là méchanceté de policier que d'appeler « indisposition » le dernier stade d'une agonie insoutenable. Soucieux d'exprimer quel tort on lui faisait, il se lança dans une récapitulation exhaustive de troubles variés, quoique tous d'ordre viscéral :

— Croirez-vous que mon ventre ne retient plus rien ? Mon médecin disait hier, en humant mes selles…

— Ahem ! fit le lieutenant général de police, qui venait d'identifier l'odeur assez tenace qui régnait ici.

Puisqu'on s'obstinait à piétiner ses malheurs, Voltaire désigna d'une main décharnée le porche de Saint-Gervais, par la fenêtre.

— Heureusement, il me reste les secours de…

— De l'Église, compléta Hérault.

— De l'art ! corrigea l'écrivain. Cette façade est la seule belle chose qu'il y ait à voir dans Paris ! Vous n'avez donc pas lu mon *Temple du goût* ?

— Je ne lis que ce qui est saisi par mes services, dit Hérault. Vous pensez si j'ai hâte de consulter vos *Lettres anglaises*.

L'auteur grimaça un sourire qui avait tout d'un rictus mortuaire.

— Ces *Lettres philosophiques anglaises* ne sont pas de moi. Elles sont d'un Anglais.

— Allons, fit Hérault. Ces lettres sont moins anglaises que philosophiques et moins philosophiques que libertines. Mais je vous dérange ? Vous écriviez ? s'enquit-il avec une amabilité de croquemitaine.

Proférés par la police, ces mots sonnaient déjà comme une accusation. L'intéressé répondit qu'il était à son courrier.

— Pardonnez-moi, quelques débiteurs… quelques admirateurs à remercier tant qu'il me reste des forces.

Comme l'importun n'annonçait pas la raison de son irruption, Voltaire tâcha de gagner sa pitié.

— Je crois que mon médecin me cache la vérité. Je crains d'avoir eu un transport[1]. Tel que vous me voyez, je suis circonvenu d'affaires, d'ouvriers, d'embarras, de maladies. J'ai dû me retirer dans le

---

1. Une crise cardiaque.

plus vilain quartier de Paris, dans la plus vilaine maison.

Sans prêter attention au moulin à paroles voué à la cause des moribonds, Hérault examina les tableaux pendus à des cordons.

— Quand j'ai trois sous, je brocante des Titien, expliqua leur propriétaire.

— J'ignorais que Titien avait peint des sujets de foire, dit Hérault.

Le collectionneur semblait baptiser « Titien » tout ce qui était italien, vieux, où l'on discernait vaguement un bout de sein et du feuillage sous un vernis goudronneux.

Le mourant offrait un autre spectacle. D'ordinaire, la perruque trop longue qui encadrait son front carré servait de rideau de scène à cette représentation permanente qu'était son visage. En bonne santé, il irradiait la vivacité, l'intelligence joyeuse, la verve jubilatoire ; malade ou contrarié, ce n'était plus qu'une prune avec un nez.

— J'ai chez moi un abbé que je détourne de sa vocation pour en faire un homme de lettres, expliqua le pruneau fripé. C'est une farce que je fais à Dieu.

Hérault espéra pour lui que Dieu avait le sens de la plaisanterie. Il s'assit dans le fauteuil un peu raide qui était près du lit, et les deux hommes se regardèrent comme deux Chinois de porcelaine. Le policier dévoila enfin le motif de sa visite : c'était l'impression de ces fameuses *Lettres*. Il montra la gazette du jour.

— Vous n'avez pas encore lu le *Mercure*, je suppose. Ce matin, pour dix sous, on peut s'informer de vos parutions.

— Si c'est dans la gazette, comment nierais-je ? Qu'ai-je encore fait ?

On y annonçait la publication imminente, à Londres, d'une édition de son ouvrage en anglais et d'une autre en français.

— Les Anglais vont pouvoir vous lire ! dit Hérault. Eux qui avaient si bonne opinion de vous !

Voltaire s'étonna de voir la cour de France s'inquiéter de ce qui se publiait chez Sa Majesté britannique.

— N'agacez pas le roi en ce moment, prévint Hérault. La reine vient de lui donner une cinquième fille, on ne sait plus où les mettre, Versailles sera bientôt trop petit.

— Hé, hé, ricana Voltaire. Monsieur Hérault, vous êtes caustique, vous devriez écrire des livres.

— J'aurais trop peur d'aller en prison.

— Mais non ! Vous dites que tout se passe en Angleterre, vous appelez cela *Mon courrier d'outre-Manche* et le tour est joué !

Voltaire sentit que sa prose n'était pas le véritable sujet de la visite : la Bastille n'avait pas encore été évoquée.

— Voilà, dit Hérault. J'ai sur les bras un cadavre non identifié.

— Personne ne s'est présenté pour le réclamer ?

Le lieutenant général eut une moue de contrariété.

— Eh bien, conformément à la procédure légale, nous avons apposé une affichette à l'entrée de la morgue : « Recherchons l'identité d'un bon bourgeois trouvé mort dans les bras d'une fille publique. » La famille n'a pas jugé utile de se hâter. D'autant que les éléments en notre possession sont une croix et un missel. Je n'aime pas ces histoires de bordels, elles sont toujours délicates.

— Je vois, dit Voltaire. Et, naturellement, vous avez pensé à moi.

— Vous, un philosophe, un homme cultivé, vous devez bien connaître tous les tordus et les obsédés de Paris…

Voltaire sentit qu'il allait avoir ses vapeurs. Une crampe partit de son estomac et remonta jusqu'au larynx. Il agonisait. On l'entendit agoniser depuis l'étage en dessous. Les habitants de la maison vinrent voir ce qui se passait.

— Je me meurs ! articula-t-il entre deux gémissements.

Hérault se leva.

— Je reviendrai vous voir quand vous ne serez plus mourant. Et pour notre petite affaire ?

Il reçut en réponse le regard le plus empreint de résistance philosophique depuis le procès de Socrate.

Quand Belzébuth eut quitté la maison, Voltaire fit signe qu'on lui apportât du papier.

— Dois écrire lettre !

— Dans votre état ! s'insurgea Céran.

Le philosophe désigna la plume et l'encrier.

— Écrivez !

Il avait bien compris qu'il devait sa tranquillité au fait qu'on n'avait pas de moyen de pression sur lui, les *Lettres* n'ayant pas encore investi le sol français. Qu'elles fussent diffusées dans le royaume et le ton changerait. Il dicta une nouvelle missive à l'intention de ses soutiens rouennais, afin d'écarter tout risque de scandale.

Cher ami, ne vous étonnez pas de me voir cette vilaine écriture, l'état pitoyable de ma santé m'oblige à user d'un pis-aller.

Il importait de couper les ponts avec le libraire. Ils étaient au cœur de la tourmente. Cet homme et tous les siens étaient exposés aux lettres de cachet.

— Pour avoir publié vos œuvres, commenta Céran.

— Oui. Ils sont perdus, je ne veux en aucun cas être confondu avec eux.

En lot de consolation supplémentaire, il lui accordait les droits d'impression de son *Ériphyle*, tragédie si bancale que personne n'avait voulu la jouer. Il fallait ôter à ce Jore tout billet de sa main, tout ce qui pouvait faire le lien entre eux ; et adresser les reconnaissances de dette à « M. Sanderson le jeune » : pour des *Lettres anglaises*, un pseudonyme à consonance britannique convenait mieux que « du Breuil ». Quand on voulait faire avancer les idées de son temps, il fallait avoir de la logique dans le mensonge autant que dans la quête de la vérité.

Quand ce fut fait, il retira de sous le lit la liasse de ses épreuves, toutes mélangées. Ce serait la faute de Hérault si Locke passait devant Newton. Une chatte quaker n'y eût pas retrouvé ses petits.

CHAPITRE TROISIÈME

Où l'on voit que les philosophes
sont faits pour disserter
dans des cabanons.

Les plus gros carrosses prenaient difficilement le virage de la rue de Longpont, qui était étroite et sinueuse. Les passagers durent quitter leur voiture et finir à pied, dans la saleté des artères parisiennes envahies par les déjections. On se félicita au moins que la pluie n'eût pas changé tout cela en une bouillasse qui eût éclaboussé souliers, bas et dentelles.

Avec ses grands yeux noisette et son teint frais, Émilie du Châtelet était aussi belle pour une femme de science qu'elle était intelligente pour une belle femme. Elle était par ailleurs d'une coquetterie ostentatoire : un peu trop de plumes sur son chapeau, un peu trop de diamants au cou, aux doigts, aux oreilles et partout où l'on en pouvait mettre, et des rubans autant qu'il en pouvait tenir.

— Oh, s'écria Voltaire, mais il y a eu un orage de pompons ! Votre robe en est toute recouverte !

Pour le distraire de ses travaux littéraires, de ses

douleurs gastriques, enfin de tout ce qu'il y avait d'accablant dans son existence d'écrivain, elle lui amenait deux amis chez qui la distraction était un art de vivre : la duchesse de Saint-Pierre, coiffée d'un chapeau d'été en paille très large et tout plat, et le comte de Forcalquier, qui fût passé pour son fils si elle ne l'eût couvé d'un regard très peu maternel.

— Vous habitez un quartier… pittoresque, dit le comte, qui s'était donné du mal pour décrotter ses semelles avant de monter.

— N'est-ce pas ? dit Voltaire. Tout le charme du Moyen Âge !

Qui n'en avait aucun, de son point de vue. Voltaire était sans illusion sur l'état de son logement comme sur celui de ses entrailles.

— Vous avez eu des retours de fortune ? s'inquiéta la duchesse.

— Point du tout. J'entame une existence d'ermite qui convient à ma philosophie.

Les gros sacs qu'on avait vus sous le porche laissaient à penser que l'ermite pratiquait le commerce du grain en gros. C'était, en France, le produit que le gouvernement taxait le moins, pour éviter que la cherté du pain ne menât à la disette et aux révoltes. Il y avait des bénéfices à réaliser, et là où il y avait des bénéfices, il y avait le nez de Voltaire.

Comme on était entre gens de confiance, il ouvrit la double porte qui menait à la pièce contiguë. Il y avait un palais derrière la chaumière. Ce n'était que meubles en bois précieux, ouvrages de marqueterie et cannages de jonc très confortables au postérieur. Les visiteurs n'auraient pas cru que les créations de l'esprit payassent aussi bien. En réalité, elles payaient moins que l'orge, qui restait le meilleur allié de la littérature. La chaise percée à rabat toute pleine de fioritures, notamment, était une œuvre d'art.

— Vous vous soignez ! dit le comte.

— On peut vivre sans boire de vin ; on ne peut vivre en en buvant du mauvais, répondit Voltaire.

Les invités jetèrent un coup d'œil aux épreuves des *Lettres philosophiques* que l'on avait négligemment et par inadvertance étalées sur la table pendant qu'ils montaient l'escalier. L'auteur y racontait la fameuse anecdote de la pomme de Newton.

— Vous connaissez Newton ? dit la duchesse.

— Si je connais Newton ! Je l'ai enterré ! Dans la cathédrale de Westminster ! Très belle cérémonie !

D'ailleurs, il voulait la même. On espéra qu'il pourrait différer afin de souper en leur compagnie. Il s'agissait d'aller manger une fricassée de poulet, aux chandelles, dans le village de Charonne. Tout était prêt pour leur amusement, il n'y manquait plus qu'un Voltaire.

Celui-ci doutait de pouvoir s'accorder cette distraction. Il avait des strophes à composer, ses commentaires newtoniens à corriger et mille autres travaux en cours… Émilie jeta son vilain bonnet sur le lit, lui posa son tricorne sur la tête et l'emmena respirer le bon air sans lui donner le temps de refuser.

Les Parisiens se rendaient de l'autre côté de la barrière pour se repaître de denrées qui n'avaient pas eu à supporter les taxes des octrois. Toute la ville faisait la fête dans les faubourgs, les riches dans les maisons de plaisance, les autres dans les tavernes et les guinguettes, il y en avait pour toutes les bourses.

On franchit les fortifications avant la tombée de la nuit et l'on roula jusqu'à la colline de Charonne, où l'on soupa en admirant le coucher de soleil sur les vignes. Il allait de soi que la nuit se passerait à festoyer, à boire, à jouer, ou de toute autre manière que l'on jugerait plaisante, et que l'on rentrerait au matin, quand les portes de Paris auraient été rouvertes.

Avec ses vignobles, ses parfums, ses pavillons de villégiature, Charonne recelait un art de vivre[1]. La duchesse avait retenu une maisonnette où ils rejoignirent un autre couple d'amis tout aussi illégitime.

Comme on ne voulait pas se charger, on n'avait prévu qu'une vingtaine de mets différents. Il y avait une petite volaille de saison, le cailleteau de vigne, des concombres à la reine, des melons en beignets, des ragoûts de foies gras. Voltaire réclama des lentilles, seul aliment qu'il ingérait sans risque. À défaut, on lui servit des fèves des marais qui passeraient sûrement, s'il mâchait bien. On termina avec des sorbets de cerises tardives, des poires de blanquette au vin et des crèmes bachiques[2].

Voltaire fournit l'assaisonnement littéraire. Son livre était trop court, il souhaitait y accrocher une lettre supplémentaire sur un sujet anodin qui ne heurterait personne : la pensée de Pascal.

---

1. Entièrement loti au XIXᵉ siècle et défiguré par le béton dans les années 1960-1970, c'est maintenant un quartier beaucoup moins riant.

2. Crème aux œufs, aux épices et au vin blanc.

— Cela va passionner les Anglais, Pascal, dit le comte.

— Oui, répondit Voltaire. Chez eux, Pascal est presque aussi connu que John Locke à Paris.

Forcalquier se retint de demander qui était John Locke.

— J'ai fait sur son sujet quelques petites réflexions, dit le commentateur.

Il était difficile d'imaginer, au sujet de Pascal, des réflexions qui fussent petites.

— Je voudrais parler de Pascal sans attaquer la religion.

C'était impossible.

— Figurez-vous qu'aucun de nos petits esprits n'avait encore osé s'attaquer à Pascal !

— C'est qu'ils faisaient preuve d'une petite prudence, répondit la duchesse.

— Je compte faire de ses cogitations une petite critique.

— Et vous en recevrez de petits coups de bâton, prédit Émilie.

— Je tremble de ma propre audace ! dit-il, riant par avance de la bonne farce qu'il se faisait à lui-même : publier une diatribe qui ferait crier contre lui.

— Vous finirez par vous attaquer à Dieu en personne, dit Émilie. Méfiez-vous : il pourrait avoir le dernier mot.

— Ne lui suffit-il pas d'avoir eu le premier ? répondit Voltaire.

Mme de Saint-Pierre craignit qu'il ne prît là de grands risques.

— Que voulez-vous ! dit l'auteur. Voltaire le mourant voudrait qu'on le laissât souffrir en paix, mais Voltaire l'écrivain ne peut se retenir de braver l'obscurantisme !

Il pensait renouveler la tactique utilisée pour son *Charles XII*, sa *Zaïre* et son *Temple du goût* : ignorer la censure. Il était résolu à publier sans rien demander à quiconque, avec l'espoir que l'inquisition littéraire tomberait en désuétude, vaincue par son dédain.

— Je vais l'écraser de mon mépris !

Ses auditeurs approuvèrent du menton, tandis que des visions de fagots rougeoyants s'imposaient à eux.

— Mais je ne dois pas oublier mon *Osiris*.

C'était un projet d'opéra égyptien à chanter de profil.

— Oui, voilà, dit Émilie. Faites donc cela. Vous aurez moins à craindre des prêtres d'Osiris que de ceux d'aujourd'hui.

Pour l'heure, il cherchait de nouvelles adresses pour ses envois postaux.

— Je faisais envoyer chez du Breuil, au cloître Saint-Merry, mais j'ai appris qu'il commettait de vilains romans sentimentaux. Je ne veux rien avoir de commun avec ces horreurs !

— Vous avez raison, dit le comte. À chacun ses horreurs.

Il aimait mieux se faire adresser les épreuves chez un honnête commerçant : Dumoulin, son logeur.

— Vous allez faire arrêter la moitié de Paris, à force de promener votre courrier, prophétisa Émilie.

— Allons ! Mes *Lettres* ne sont pas si dange-reuses !

— Vous les recevriez, vous ?

Il demanda si l'on espérait du beau temps pour le lendemain.

Les agapes épuisées, les dames voulurent jouer aux cartes. Voltaire préféra s'asseoir à l'écart pour composer un poème.

— Il faut être bien blasé pour préférer l'écriture à tout, dit Émilie en abattant un valet de piques.

— Que voulez-vous ! Un écrivain doit beaucoup travailler pour mettre en valeur son talent, et plus encore pour cacher celui qui lui manque.

Quand les cartes eurent perdu de leur charme, le poète emmena sa muse faire quelques pas au clair de lune. Il y avait là, parmi les roses, un joli cabanon doté d'un banc. Voltaire décida qu'un cabanon était un bon endroit pour un philosophe.

La nuit était douce, paisible et étoilée. Des éclats de rire et des entrechoquements de verres leur parvenaient d'une maisonnette un peu plus loin. Tout était joyeux, idéal. Les lèvres de l'écrivain se posèrent sur les doigts aux ongles peints de la marquise et remontèrent le long du bras.

— Rien ne saurait détruire l'harmonie de cet instant. Il me semble que les oiseaux ou les nymphes chantent notre félicité.

Un cri affreux perça les ténèbres. On aurait cru qu'un porc se faisait égorger entre les rosiers. Les ongles de la marquise s'enfoncèrent dans le biceps de Voltaire, qui regretta de ne l'avoir pas plus gras. On courait dans l'allée. Les fêtards d'à côté s'enfuyaient comme un vol de perdrix après un coup de fusil. Quand ils furent tous partis, un silence morbide retomba sur le jardin.

À l'étage, derrière leurs volets et les rideaux de leur baldaquin, la duchesse et son bon ami étaient trop occupés pour avoir rien entendu. Les autres dormaient, affalés sur les méridiennes.

Voltaire et Émilie approchèrent à pas mesurés de la maisonnette abandonnée, dont la porte était grande ouverte. La marquise se demandait s'ils ne faisaient pas preuve d'une curiosité mal placée.

— La curiosité est un défaut si peu répandu qu'elle en devient une qualité, répondit Voltaire.

Tant qu'à être mêlé à une vilaine affaire, il voulait savoir de quoi il retournait. À l'intérieur les attendait un spectacle macabre et déconcertant.

Les draperies d'Orient, les meubles à incrustations de nacre et les bois de cerfs accrochés aux murs faisaient un décor hétéroclite. Principale bizarrerie, un homme était affalé sur le tapis, avec sa perruque poudrée pour tout vêtement, une flèche plantée entre les omoplates. Un feuillet était enroulé autour du projectile. La marquise le détacha. C'était une gravure licencieuse arrachée d'un livre. Elle représentait la pièce où ils étaient.

— Voilà qu'un livre est devenu réalité, dit l'écrivain. C'est plus fort que du Newton !

Les dîneurs avaient ouvert la fenêtre pour dissiper la fumée des chandelles. Il y avait dehors un arbre dans lequel le tireur avait pu se poster. Il devait s'agir d'un homme souple (il fallait se hisser jusque-là), mince (les branches de ce prunier eussent craqué) et plutôt jeune (à trente-neuf ans, lui-même ne s'y fût pas risqué, bien qu'il prît la peine de marcher une lieue, au moins une fois la semaine, quand il ne pleuvait pas et que sa santé le lui permettait).

Il avisa des objets épars sur le tapis et sur les meubles, entre les verres et les flacons. Il y avait eu là plusieurs personnes, c'était autant de témoins ou de suspects, si on les rattrapait jamais.

Ils ne tenaient pas non plus à attendre les exempts. Mieux valait s'en aller avant l'arrivée des voisins.

— Mais que s'est-il passé, ici ? dit une voix dans leur dos.

Le traiteur, petit homme rondouillard, un tablier autour des reins, était sur le seuil, deux bouteilles dans chaque main. Il ouvrit de grands yeux en apercevant, sur le sol, le fêtard nu avec sa flèche. Le brave homme songeait déjà au flot de questions dont l'agonirait la police. Tout cela était un accablement pour le petit commerce. À peine jeta-t-il un coup d'œil suspicieux aux deux inconnus qui s'esquivèrent.

Ceux-ci coururent réveiller leurs amis dans le pavillon : il fallait rentrer sans tarder, quitte à finir la nuit en voiture. Nul n'avait envie de passer la journée au Châtelet pour expliquer à M. Hérault ce qu'il faisait à l'heure du meurtre.

Tandis que leurs amis s'habillaient, Émilie regretta de n'avoir trouvé aucun indice. La police allait rester dans le noir.

— La police, peut-être, mais pas nous, dit Voltaire.

Il lui montra des babioles qu'il avait ramassées, une tabatière armoriée et une canne frappée du même emblème. Ces objets étaient d'autant plus faciles à identifier qu'ils portaient le blason des princes de Guise, « des gens charmants, tout à fait libertins, très propres à s'être trouvés dans cette maisonnette alors qu'on y assassinait un homme en tenue d'Adam ».

— Pensez-vous que le prince..., dit Émilie.

— Le seul crime dont je le crois capable, c'est de servir du bordeaux avec une sole meunière.

En tout cas, monseigneur serait content de retrouver ses petites affaires. Et d'avoir un ami philosophe.

CHAPITRE QUATRIÈME

*Comment il advint que l'innocence
dût se défendre avec les armes du vice.*

Pendant qu'un philosophe s'occupait des crimes commis aux portes de Paris, le lieutenant général de police réglait le sort de la philosophie. Il s'était fait envoyer de Londres, par l'ambassade de France, un exemplaire de l'édition anglaise des *Lettres*, et l'apportait au garde des Sceaux, en son hôtel de la rue des Saints-Pères. Autant faire visiter à la poule le terrier du renard.

Assis à son secrétaire garni de bronzes dorés, le ministre semblait copié sur le portrait grandeur nature accroché au-dessus de lui. En chair comme en peinture, il avait sur la tête la perruque la plus volumineuse, à la main la plume la plus longue et, sur le visage, l'expression la plus soucieuse.

Germain Chauvelin avait gravi tous les échelons de la haute administration, y compris celui du mariage avec une riche héritière. Pour devenir marquis, il avait acquis le château de Grosbois, une construction qui remontait à Louis XIII, car il importait aux nobles de fraîche date de loger dans les plus vieilles bâtisses.

Estimant sans doute que la Justice n'était pas une charge très lourde, le cardinal de Fleury, qui gouvernait la France, lui avait confié le soin de la Librairie. Zélé serviteur des bons principes, Chauvelin veillait aussi jalousement sur ses sceaux que sur la moralité de la littérature française. Il remplissait son office avec une raideur qu'il jugeait indispensable et qui, un jour, provoquerait sa chute. Pour l'heure, pendant que les courtisans à seize quartiers chassaient le sanglier en compagnie du roi, Chauvelin faisait, de son côté, la chasse aux philosophes.

Il tournait et retournait entre ses mains ce vilain petit livre anglais. Il l'ouvrait, parcourait quelques lignes qui lui déplaisaient surtout parce qu'il n'y comprenait rien, le refermait et le tapotait avec nervosité du bout des doigts.

— Vous m'assurez qu'on y dit des horreurs sur la couronne ?

— Sur la couronne, sur la religion, sur la noblesse, à tout propos, monseigneur. Rien que le titre, *Lettres philosophiques d'Angleterre*…

— Le royaume n'a pas besoin de philosophes ! s'exclama Chauvelin avec la conviction d'une hache sur un billot.

Hérault savait de bonne source qu'une édition similaire « en bonne langue *françoise* » se préparait à Rouen. Sans plus tergiverser, le ministre apposa son paraphe sur une lettre de cachet qu'il remit au lieutenant général pour le jour où ces infamies seraient saisies en terre de France.

Au moment de se séparer, l'idée qu'on lui forçait la main traversa l'organe spongieux que sa perruque tenait au chaud.

— Dites-moi, je ne vais pas donner l'impression de persécuter un malheureux, au moins ?

— Oh, que non, que non, lui assura René Hérault.

Voltaire n'avait rien d'un malheureux.

Muni de la précieuse lettre, le lieutenant général regagna la cour du bel hôtel, monta en chaise et se fit porter rue de Longpont selon l'itinéraire qui menait de l'arbitraire royal à la liberté de penser.

Le publicateur anglais n'était pas chez lui, il était chez la marquise du Châtelet, où l'on causait théâtre autour d'une tasse de chicorée.

— Vous faites bien rire, aux Italiens, dit Émilie.

— C'est impossible : je n'ai pas écrit de comédie.

— Mais on en a écrit une sur vous.

MM. Nivault et Romagnesi avaient signé une farce en un acte qui était une parodie de son *Temple du goût*. Voltaire prit la chose avec mansuétude.

— Cela ne me dérange pas : Aristophane s'est moqué de Socrate.

Le Socrate du XVIIIe siècle goûta moins l'initiative d'Aristophane Romagnesi quand il apprit qu'on l'avait représenté sur scène en chair et en robe de chambre, et que le public se pressait au parterre pour rire de lui. Il sentit la limite, jusqu'alors assez floue, entre liberté de pensée et outrage au penseur.

— Mais que fait la police ? Il n'y a donc que moi que l'on censure, dans ce pays ? Comment ose-t-on se moquer des gens pour se faire valoir ?

Quand les paroles n'ont plus de poids, quand les idéaux sont foulés au pied, quand les forces de l'ordre négligent leur devoir, il ne reste qu'à saisir son bâton de pèlerin et à le briser sur le dos des rustres. Voltaire résolut d'identifier au plus près le tort qui lui était fait, afin de mieux remplir la plainte qu'il adresserait au Châtelet le lendemain.

Il lui fallait un déguisement. Il importait de passer inaperçu, ou bien il se trouverait quelque plaisantin pour rapporter sa réaction dans une chronique, et on en parlerait encore dans trois siècles.

— Voulez-vous une livrée ? proposa la marquise. J'ai un laquais qui fait à peu près votre taille.

L'auteur, qu'on outrageait de toutes parts, lui jeta un regard sombre.

— Ou un vieil uniforme de mon mari, rectifia son amie.

Ayant endossé la culotte bleue et la veste à galons, il se contempla dans le trumeau du salon. Il était très bien, il avait grande allure en militaire, on aurait juré qu'il venait de remporter une bataille sur les Bulgares. Pourtant, quelque chose, dans la glace, gâtait sa tentative d'anonymat. Il jaugea le buisson de roses campé à côté de lui.

— Changez-vous donc ! Dès que l'on voit paraître un pompon, on sait que vous êtes dans les parages. Qu'avez-vous besoin de vous arranger de la sorte ? Vous êtes mathématicienne, physicienne, astronome, que voulez-vous être de plus ?

— Une femme, répondit la marquise.

Les Comédiens-Italiens occupaient le théâtre de l'Hôtel de Bourgogne[1]. La salle avait été édifiée par les confrères de la Passion et de la Résurrection de Notre Seigneur Jésus-Christ pour y jouer des mystères, et, sûrement, ces pieuses personnes n'avaient pas eu en tête de vouer leur scène à des séances de pantomimes rythmées par des pets et des soufflets. Les places au parterre étaient à quinze sols, le prix montait à soixante dans une loge ou pour un bord de scène.

— Prenez une loge, dit Émilie, qui n'était pas devenue marquise pour voisiner avec la valetaille.

— Nous serions très bien au parterre, plaida Voltaire. Nous ne resterons pas longtemps…

— Une loge.

— Oui, mais cent vingt sols, tout de même…

— Voulez-vous qu'on vous reconnaisse ?

Ce fut une loge.

Sur la scène, la plupart des comédiens arboraient des bedaines rembourrées de son, des collerettes que personne, même Voltaire, ne portait plus depuis le règne de Henri IV, des masques en carton bouilli et une collection de nez ridicules. Outrance et galipettes se disputaient l'action. Le plus vexant, c'était que la prétendue parodie reprenait en partie le texte original, tourné en dérision par la mise en scène. On avait dessiné, en guise de décor, le portail de Saint-Gervais, célébré par le philosophe comme le seul beau monument à voir dans tout Paris. Vêtu d'une perruque

---

1. À l'emplacement de l'actuel numéro 29 de la rue Étienne-Marcel.

passée de mode, d'un bonnet de feutre mou et d'une robe d'intérieur matelassée, un petit bonhomme maigrichon faisait des bonds en clamant ses propres vers tandis que ses compères se bouchaient les oreilles. Étant donné le maquillage et la distance, Voltaire lui-même eut l'impression de se voir sautiller en bas.

L'acteur se posta face au public et désigna Saint-Gervais.

— Voici la seule église que je supporte !

Un autre pointa le doigt sur lui et ajouta :

— Et voici le seul écrivain qu'il supporte !

Quelques insolents eurent le toupet de rire.

Au tableau suivant, Polichinelle, malade, se tordait en se tenant le ventre : il se plaignait de ne pouvoir pisser. On lui donna du bâton. Il ne pissait toujours pas. On annonça qu'on allait apporter *Le Temple du goût*, et l'on fit venir une chaise percée. Le grotesque personnage s'assit sur ce « temple » et chacun put entendre que le remède était suivi d'effet.

— Oh, mais c'est de bon ton, dites-moi, dit Voltaire. On ne regrette pas sa soirée.

— C'est plutôt drôle, ne trouvez-vous pas ? dit Émilie, qui s'était attendue à pire.

— Si, si. Je ris tant que je vais m'absenter un instant.

Elle supposa qu'il allait visiter les « temples du goût » des cabinets.

Les éclats irrévérencieux dont le public était secoué le poursuivirent jusque dans le corridor. Puisque c'était son texte et qu'il paraissait le déclamer lui-même, il fut tenté de passer à la caisse, retirer ses parts d'auteur et d'interprète.

En haut de l'escalier, deux messieurs discutaient de la pièce.

— Je vous dis que c'est lui qui est sur scène. J'ai reconnu son nez.

Il passa devant eux, dans son uniforme d'officier, avec son air de belette aux aguets et ses yeux dont on ne savait s'ils brillaient de malice ou de fièvre.

— Vous avez raison, admit celui qui venait de parler, je vous demande pardon, je vois des Voltaire partout.

L'écrivain ne savait où se cacher : on le dévisageait, son déguisement attirait plus encore l'attention que son allure habituelle. Il était embusqué derrière une colonne en faux marbre quand une main s'abattit sur son épaule. Au bout de ce bras, il y avait René Hérault. Voltaire s'étonna de le rencontrer dans un établissement voué à la joie.

— J'aime rire, répondit le lieutenant général, d'une voix qui eût convenu pour un éloge funèbre.

— Et comme ce faux moi-même est très mauvais, vous vous êtes dit : « Allons rire avec l'original ! »

Hérault ne respirait pas l'hilarité.

— Le garde des Sceaux a un problème avec vos *Lettres anglaises*.

— Mais ! fit leur auteur. Elles n'ont paru qu'en Angleterre !

— Vous savez bien que les livres sont comme les pigeons : on peut les lâcher n'importe où, ils reviennent toujours à leur nid d'origine.

En l'occurrence, les pigeons voltairiens avaient souillé la perruque du ministre.

Voltaire ne voyait pas pourquoi le gouvernement français se préoccupait des publications britanniques.

— Quand Montesquieu a écrit ses *Lettres persanes*, on ne lui a rien dit, à lui !

— C'est que ses *Lettres persanes* étaient moins philosophiques que vos *Lettres philosophiques*, qui ne sont pas assez persanes !

Le garde des Sceaux avait, lui aussi, trempé sa plume dans l'encrier pour composer un beau morceau de littérature : il ne manquait plus à la lettre de cachet que l'agrément royal. Tout ce que pouvait faire Hérault, en tant qu'ami des belles lettres, c'était la retenir le temps nécessaire pour que l'auteur fît valoir ses mérites – encore devait-il empêcher toute diffusion de son livre en France.

— S'il circulait dans le public, je ne suis pas sûr que le roi lui-même pourrait vous éviter la prison.

Voltaire était fâché : il n'avait pas inscrit à son programme la poursuite des maniaques qui infestaient Paris.

— Après tout, on n'est pas si mal, à la Bastille. J'y ai déjà été ! Deux fois !

— Vous connaissez les appartements des hôtes de marque. Mais connaissez-vous les cachots ?

Le lieutenant général lui décrivit l'humidité suintante, le froid en toute saison, les araignées, les rats. Après cette énumération, Voltaire se sentit prêt à brûler lui-même ses ouvrages.

— Allons ! fit Hérault. Pour compenser vos attaques contre la couronne, vous aiderez à restaurer l'ordre public. À votre place, j'y verrais l'expression d'un matérialisme très cartésien.

Les joues émaciées du philosophe s'empourprè-rent. Voilà qu'on osait lui opposer des arguments cartésiens, c'était un comble.

Puisque l'attention de l'aspirant détective lui était acquise, Hérault résuma les faits.

— Deux crimes horribles ont été commis.

— Vous m'en direz tant. Quel triste monde, mon bon monsieur, dit l'écrivain.

Il eut l'intuition qu'il allait encore devoir quitter la France.

Seul un livre mystérieux semblait faire le lien entre les deux meurtres. Hérault voulait savoir ce que c'était. Voltaire s'étonna qu'il ne fît pas simplement chercher ce texte par ses hommes.

— Pourquoi croyez-vous que je sois ici ? dit le lieutenant général.

Voltaire avait cru que tourmenter les penseurs était un motif suffisant.

— Mes exempts épluchent en ce moment même la bibliothèque de ce théâtre, dit Hérault.

L'un d'eux les rejoignit, un volume à la main.

— Il me paraît bien suspect, celui-là, chef.

C'était *Les Voyages de Gulliver*. Les contours du problème se précisèrent.

Puisqu'on était dans le sujet des belles lettres et de la mauvaise farce et que, de toute évidence, on avait grand besoin de lui, Voltaire en profita pour réclamer de son commanditaire l'interdiction de la pitrerie qui se perpétrait dans la salle.

— Pourquoi ? dit Hérault. Vous n'aimez plus le théâtre ?

Le philosophe s'enferma dans un mutisme digne de Diogène.

Le policier avait fait dessiner un portrait du principal suspect du deuxième meurtre. Il lui confia un papier enroulé sur lui-même :

— Vous y jetterez un coup d'œil à tête reposée. Je crois qu'il y a là de quoi faire avancer l'enquête à bride abattue.

Sur ces mots, il quitta le vestibule des Italiens et planta là ce commandant de cavalerie vêtu d'un uniforme trop grand.

Voltaire remonta vers la loge et entrouvrit la porte avec l'intention de récupérer son Émilie. Celle-ci était en train de rire alors que le double de Voltaire recevait des coups de pied au derrière.

« Il aura bientôt fini de pisser sur mes œuvres, celui-là ! », se dit l'original avant de refermer. Sur les marches du perron il lança aux spectateurs qui entraient :

— Profitez-en : c'est la dernière !

De retour rue de Longpont, il déroula sur une table le portrait de l'assassin. On y voyait un visage au long nez, aux yeux vifs, au sourire moqueur, coiffé d'une perruque à l'ancienne.

— Céran ! Mes malles ! Ma pelisse de voyage !

La première émotion passée, il se laissa tomber dans son fauteuil pour réfléchir tandis que son secrétaire faisait les bagages en crachotant.

Où fuir ? Par ces temps voués à une trépidante modernité, une malle-poste à quatre chevaux ne mettait que six jours pour relier Paris à Lyon ; en dix jours elle atteignait Marseille ; les ordres de police circulaient à une vitesse terrifiante ! Désormais, un message touchait les côtes du Nouveau Monde en un mois tout au plus ! Il n'en fallait que quatre ou cinq, selon la mousson, pour gagner nos comptoirs de Pondichéry et de Chandernagor ! Aucun travestissement ne pourrait soustraire le fugitif aux yeux et aux oreilles des indicateurs appointés par monsieur le lieutenant général. La surveillance était partout. La planète était devenue un village et son garde-champêtre en voulait à Voltaire.

Il décida de rester combattre l'adversité là où il était, bien résolu à montrer que la sérénité d'un vrai sage résiste à tout, même aux chicaneries.

Pour ce qui était de l'édition en anglais, il était trop tard. Ce soir-là, il eût donné quelques sacs de bon grain pour savoir combien de gens entendaient l'anglais en France, à Paris, au château de Versailles, au sein du gouvernement.

Céran se rappela subitement qu'un M. Jore avait laissé un billet adressé « À M. Sanderson, aux bons soins de M. Dumoulin ». Voltaire fut accablé par ce qu'il lut. Ce fou d'imprimeur avait fait le déplacement depuis Rouen pour venir chercher le bon à tirer.

C'était l'occasion de lui expliquer de vive voix les dangers que son audace faisait courir à la philosophie. Et aussi de le faire déguerpir de la capitale afin d'empêcher toute confrontation entre eux dans une cellule du Grand Châtelet. Pour se donner le temps de méditer sa réponse, il rédigea un mot par lequel il lui enjoignait de se présenter, le lendemain, à une adresse qu'il lui indiquait.

Le rendez-vous était chez le duc de Richelieu, un vieil ami à qui Voltaire avait prêté de grosses sommes ; autant dire que leurs liens avaient la robustesse d'un lingot d'or. Puisqu'il fallait recevoir ce Jore, mieux valait l'impressionner – et le logement de la rue de Longpont n'avait rien d'impressionnant, même pour un imprimeur de Rouen. Et puis, chez monseigneur, l'écrivain était à peu près sûr d'échapper aux indiscrets appointés par Hérault. Non que le duc fût à l'abri des espions, il y en avait partout. Mais, chez un pair de France, on ne songerait pas à l'espionner, lui.

Deux portraits se faisaient face dans un salon très haut de plafond : la digne figure du cardinal ministre de Louis XIII, tout vêtu de pourpre, et celle de l'actuel propriétaire, le duc le plus gaillard que la cour eût jamais vu, recouvert de fil d'argent. Armand de Richelieu était l'archétype de ce que Versailles pouvait produire de charmant. Il possédait l'aisance d'un homme aussi bien situé dans la hiérarchie sociale que dans le cœur des femmes. Pour le reste, s'il eût désiré davantage de broderies, il eût fallu lui poser un deuxième habit sur le dos.

Voltaire résuma les malheurs dont on l'accablait au nom d'un livre qui n'existait encore que dans les cauchemars du garde des Sceaux.

— Quand Montesquieu a publié les *Lettres persanes*, ce brûlot, on l'a élu à l'Académie française ! Et pour moi, qui n'ai fait que griffonner des *Lettres* où il n'est question que de – hum, elles sont anodines, inutile d'en parler –, c'est la Bastille !

— Mais, mon cher, la Bastille, c'est la nouvelle Académie française ! lui assura Richelieu.

Au moins monseigneur admit-il que l'ancienne Académie ne disposait pas d'oubliettes humides où enfermer ses membres. À son avis, le plus simple aurait été d'arrêter de philosopher. Cette idée horrifia le penseur, pour qui mourir eût été moins grave qu'écrire un mauvais livre.

Jore ne tarda pas à se présenter place Royale[1], au Marais. La belle esplanade carrée était bordée de façades de brique rose et de pierre mélangées, avec en son centre un enclos délimité par une grille, où l'on pouvait se promener, discuter, jouer aux boules autour d'une statue équestre de Louis XIII.

— Chez qui suis-je, mon ami ? demanda l'imprimeur au laquais qui le conduisait dans l'escalier.

Il apprit sur le palier que son client faisait ses affaires sous les lambris de la pairie.

Avec son regard toujours de biais, Jore ressemblait à tout le monde, c'était une absence d'homme. Son long manteau bleu sombre et son chapeau noir lui permettaient de s'estomper dans une foule aussi bien que dans l'ombre nocturne. Si l'on s'attardait un instant sur sa personne, on constatait qu'il était plutôt grand, ossu et âgé d'une trentaine d'années, ce qui n'avait aucune importance.

Les deux associés expédièrent les politesses pour en venir au fait. Jore ne fut pas aussi contrarié que Voltaire d'apprendre que les *Lettres* couraient le risque d'être interdites. Un livre prohibé se vendait

---

1. Devenue place des Vosges à la Révolution.

jusqu'à cinq louis d'or. La rareté faisait bondir le prix vingt fois plus haut que celui d'un récit autorisé.

— Consolez-vous, dit le libraire : la proscription vous procurera un bon revenu !

— Vous me l'apporterez à la Bastille ? demanda Voltaire.

Il dut arracher la promesse de différer l'édition et en déduisit que les volumes étaient prêts ou sur le point de l'être.

— Je vous préviens. On dit : « Les tours de la Bastille, c'est le bon air, une vue imprenable sur Paris, un voisinage tranquille… » Essayez donc de vous faire monter un bain chaud quand il faut gravir des escaliers en colimaçon avec les seaux, après leur avoir fait traverser deux cours !

Jore fut déçu : le philosophe se révélait moins conciliant que les habituels pourvoyeurs de récits salaces.

— J'aurais mieux fait de m'en tenir aux romans libertins, regretta-t-il, ils me coûtent moins de peine.

Voltaire vit quelque chose à tirer de cette idée : mêler ses œuvres à des publications scandaleuses.

— Avez-vous en boutique des écrits religieux ? demanda-t-il.

— Non. Pour quoi faire ?

— Publiez-en ! Prenez ce que vous trouverez de plus sinistre ! Quelque chose du pape, par exemple ! Nous dissimulerons mes *Lettres* derrière tout ça.

Jore parut peu enthousiaste à l'idée de cacher Voltaire derrière le pape. L'écrivain n'avait pas terminé de lui établir son programme d'édition.

— En attendant, prenez donc mon *Charles XII* !

— A-t-il été interdit ? s'enquit le libraire.

— Non.

— Alors je n'en veux pas. Je vise pour vos *Lettres* le succès de *Manon Lescaut* : son auteur est en exil, c'est ce que j'appelle un triomphe !

L'écrivain n'avait pas envie de perdre sa liberté pour procurer des rentes à son libraire. Quoi qu'il en fût, il convenait de flatter la mule pour qu'elle continuât d'avancer.

— Je vous serai attaché *hasta la muerte* ! promit-il en le raccompagnant sur le palier.

Hasta la muerte de Jore, cela allait sans dire.

Méfiant, ce dernier déambulait sous les arcades de la place en réfléchissant à voix haute.

— Je crois que j'ai fait un pacte avec le diable.

— Vous étiez le seul à l'ignorer, répondit quelqu'un.

L'imprimeur considéra l'inconnu qui avait parlé. Cette moustache broussailleuse, ce regard torve, ce manteau terne et mal coupé, gonflé à l'endroit où l'on rangeait un pistolet, cette expression à la fois menaçante et obtuse... Le doute n'était pas permis. Il venait de tomber dans les griffes de la police.

CHAPITRE CINQUIÈME

*Où nous sont dévoilés les dessous coquins
de l'art romanesque.*

Voltaire se résigna à entamer les recherches dont il avait été chargé, d'abord parce qu'il avait trop bon cœur pour désobliger M. Hérault, ensuite parce qu'il n'avait aucune prédilection pour la solitude des cachots humides. Hors ça, comment mettre la main sur un livre dont personne ne savait rien ? Pour l'heure, la hantise de l'humidité lui ôtait toute énergie. Cette enquête était une forêt impénétrable qu'on lui demandait de défricher au couteau à huîtres.

Émilie, aussi, l'inquiétait. Elle s'étourdissait de frivolités. Elle avait de mauvaises fréquentations – en plus de lui. Ces duchesses qui festoyaient dans les vignes avec des jeunes gens à peine en âge de se raser, ce n'était pas ce qu'il lui fallait. Il était urgent de lui donner une occupation sérieuse, ou bien elle prendrait des amants et il la perdrait. Or, il sentait qu'il lui était attaché comme jamais, peut-être parce que cette femme-là ne ressemblait à nulle autre. Elle était fine, brillante, exigeante, insolente, cultivée, elle prisait la philosophie voltairienne... En un mot, c'était lui-même avec un corset, des jupes et des pompons. Jamais il ne retrouverait une aussi parfaite création de la nature et des salons parisiens.

Il reconnut le pas de sa muse. Un instant plus tard, Céran, en gilet marron et bras de chemise, la débarrassait de son mantelet et de ses gants.

— Il ne représente pas, votre valet, observa-t-elle, le factotum parti.

— Ce n'est pas un valet, c'est un poète que je protège.

— Comme poète non plus, il ne représente pas.

La protection de Voltaire n'incluait que deux habits par an. C'était là celui d'été et il devait encore faire de l'usage jusqu'en novembre. Employer des gens de lettres pour son service, c'était un moyen d'avoir des serviteurs qui n'en avaient pas l'air ; le problème, c'était qu'on était mal servi.

— Mais tout de même, il porte votre livrée, insista Émilie.

— Pas du tout. C'est un assortiment que je lui ai fait faire, culotte et gilet dans le même ton, parce que ça lui va bien.

Partout ailleurs, cela s'appelait un uniforme.

Émilie avait aussi des griefs contre ce Dumoulin, chez qui il logeait. Sa longue veste grise, terne, triste, dont le galon d'un jaune sale courait sur son tricorne noir, faisait de lui un ersatz de petit employé passe-partout. Rien chez lui ne se remarquait, on aurait dit un mur qui marche. Pourtant, si l'on croisait son regard, on comprenait qu'il eût été hasardeux de se fier à son aspect. Ces yeux vifs et malicieux laissaient deviner ce qui avait inspiré confiance à Voltaire.

— N'attaquez pas Dumoulin ! C'est un génie ! Il a eu l'idée de ce papier de récupération dans lequel j'ai investi vingt mille livres !

En fait de récupération, Dumoulin avait déjà réussi à récupérer vingt mille livres dans la poche de son associé, c'était bien un génie. Leur fabrique avait pour matériau de base les vieux chiffons et la paille usagée. On la glanait sur le port de Seine tout proche. En tant qu'écrivain, Voltaire estimait judicieux d'investir dans la papeterie : il était bien placé pour savoir qu'il y aurait bientôt de sublimes œuvres monumentales à imprimer.

Émilie quitta le sujet des rebuts pour celui de l'opéra et des plaisirs mondains. Leur conversation fut charmante, Voltaire en fut ravagé. Ils causaient en amis. Dans six mois, elle lui raconterait ses conquêtes, elle lui rendrait visite comme à un vieil oncle amusant qui récite des poèmes et lance des piques sur des gens connus. Cela n'était pas admissible. Il lui proposa, plutôt que de continuer à folâtrer, de se consacrer à une distraction de bon aloi : une enquête dans le monde merveilleux des belles lettres.

Émilie fit la moue. Elle eût préféré une enquête dans le monde merveilleux des sciences. Mais, faute de grives, on mange des merles, fussent-ils graphomanes.

Restait à recruter un homme de main pour les basses œuvres. Justement, l'autre protégé du philosophe, l'abbé Linant, était rentré de Rouen, où Voltaire l'avait envoyé régler ses problèmes de publication. À vingt ans, Michel Linant avait le visage plus large que haut, le front bas sur un sourcil froncé par une contrariété à laquelle il semblait destiné depuis la naissance, ses joues rebondies paraissaient plus remplies que sa cervelle, tout ce qu'il portait tombait mal, toute coiffure lui donnait l'allure d'un chat obèse et neurasthénique. Il était difficile d'imaginer ce que lui trouvait Voltaire, hormis l'intérêt d'avoir son contraire à ses côtés.

Linant annonça le résultat de son voyage : il avait établi avec une quasi-certitude, au terme d'une enquête approfondie, que l'imprimeur Jore était à Paris. Voltaire s'efforça de grimacer un sourire bienveillant.

— Vous qui voulez être auteur, il est temps de vous frotter à la vie littéraire.

Linant fut émoustillé. Il demanda par quel angle on débuterait la vie littéraire.

— Par le bordel, répondit Voltaire.

— Ah, fit son élève. J'aurais cru que ce serait par l'Académie française.

— Mon cher, on n'entre dans la seconde qu'après avoir dû renoncer au premier.

Il exposa la raison de leur immersion dans le monde des élucubrations romanesques et des filles légères : son cher et fidèle ami, le lieutenant général de police, homme adorable et attachant, que l'écrivain n'hésitait jamais à éclairer de ses lumières, lui avait confié une mission délicate. Il s'agissait d'élucider deux meurtres dont on ne connaissait ni les protagonistes, ni le motif, ni rien.

— On dirait une petite énigme amusante pour fins de soirées, remarqua Émilie.

Ils pouvaient d'ores et déjà se féliciter d'avoir pratiquement assisté à l'assassinat commis dans les vignes de Charonne.

— Vous avez été témoins d'un assassinat ? le coupa Linant, en proie à de l'anxiété.

— C'était à la campagne, ça ne compte pas, c'est monnaie courante, à la campagne, on y attache peu d'importance.

Quand il serait plus aguerri à toutes les formes littéraires, on le laisserait s'occuper des meurtres commis en ville.

Ainsi donc, principal indice, un monsieur s'était présenté dans une maison de rendez-vous, muni d'un livre.

Linant se pencha vers Voltaire. Par un geste qui se voulait discret, il indiqua que tout cela n'était pas pour la marquise.

— Il doit s'agir d'un écrit licencieux…

Émilie posa sa tasse avec impatience.

— Je me doute que ce n'était pas l'*Arithmetica Universalis* de Newton, monsieur l'abbé.

— Précisément, dit Voltaire.

La question posée par la police était : de quel livre s'agissait-il ? L'écrivain avait justement un jeu d'épreuves rouennaises de ses *Lettres* à faire relier. C'était l'occasion d'une visite instructive et nécessaire.

Ils se rendirent chez François Josse, libraire dans le quartier du Palais-Royal. De part et d'autre de la porte, des affichettes reprenaient les arrêts prononcés par le parlement de Paris à l'encontre des publications subversives. Le chaland pouvait y lire : « On trouve dans cet ouvrage toutes les horreurs de la plus excessive débauche », ou : « Cette édition sera lacérée et brûlée pour avoir prôné l'irréligion la plus effrénée. »

Enveloppé dans une longue blouse couleur de poussière, pleine de poches dont on s'attendait à voir jaillir une infinité de petits in-16, François Josse alliait la vivacité de l'érudit passionné à la bonhomie du commerçant comblé. Ils entendirent un monsieur lui demander s'il avait « Excessive débauche » en magasin. M. Josse désigna du menton le dessous du comptoir.

— J'en prendrai deux exemplaires, dit l'amateur de prose élégante.

Les libraires se félicitaient chaque jour des bontés qu'avait pour eux le parlement, qui sélectionnait sans faute ce qu'il y avait de plus intéressant à lire. Le volume en question était une pièce de théâtre qui ne risquait pas de se voir inscrire au répertoire de la Comédie-Française. Cela s'intitulait *Le Bordel ou le Jeanfoutre puni*.

— On y dit le mot « foutre » à chaque réplique, précisa le libraire, avec un grand sourire à l'intention du lectorat alléché.

Il ne pouvait en nommer l'auteur, mais le comte de Caylus en avait fortement nié la paternité, aussi personne ne doutait que l'ouvrage fût de lui.

Voltaire chancela. Il fallut lui glisser un tabouret sous les fesses.

— J'ai dédié mon *Temple du goût* à cet homme-là ! glapit-il, tandis que Linant l'éventait à deux mains avec son large mouchoir.

Le plus outrageant était que M. de Caylus avait refusé la dédicace, au prétexte que ce *Temple* était inconvenant, et l'on avait dû effacer son nom du deuxième tirage.

— C'est vous qui imprimez les ordures de ce malotru ? s'enquit l'écrivain, la main crispée sur ses épreuves de vraie littérature où le mot « foutre » ne figurait pas une seule fois, même dans la lettre sur le jansénisme.

M. Josse assura qu'il se gardait bien d'imprimer pareils brûlots. Il ouvrit un petit volume sous le nez du philosophe et lui montra la mention inscrite en première page. *Le Bordel* du comte de Caylus était publié « À Anconne (*sic*), chez la veuve Grosse-Motte ». La ville en question ne devait pas être très éloignée de Paris, car le papier sentait l'encre fraîche.

Il y avait par terre de la paille échappée des caisses utilisées pour les envois.

— Vous n'en faites rien ? demanda Voltaire.

Il pria Linant de donner un coup de balai et de fourrer les fétus dans un sac.

À peu près remis de son émoi, il considéra d'un œil plein d'envie les succès de librairie qui garnissaient les rayonnages. Combien il aurait aimé battre les records du *Compost ou Calendrier des bergers*, un texte certainement d'une qualité exceptionnelle, car sans cesse réimprimé. Il y avait aussi le *Tableau de l'amour conjugal*, dont la vogue ne se démentait pas depuis 1686 ; et le *Livre des comptes faits*, premier manuel de comptabilité, dix rééditions consécutives.

François Josse lui montra les nouveautés les plus brillantes, l'*Histoire des imaginations extravagantes*, d'un M. Oufle, recueil de magie blanche très apprécié dans les familles, le *Catéchisme à l'usage des grandes filles pour être mariées, augmenté de la manière d'attirer les amants*, texte anonyme, mais que l'on pouvait mettre entre toutes les mains, sans oublier *Les Aventures galantes et divertissantes du duc de Roquelaure*, florilège de facéties et de bons mots.

— Ce qu'on cherche surtout, dans la lecture, expliqua l'imprimeur, c'est à se divertir. Avec vos *Lettres philosophiques*, nos lecteurs vont être servis !

Tandis que Voltaire tâchait de glisser sur ce que ce pronostic avait d'injurieux, Émilie demanda quels étaient les sujets de scandale.

— Il y a, bien sûr, la bulle papale *Unigenitus*…, dit le libraire.

Les visiteurs échangèrent un regard entendu.

— Nous voudrions quelque chose de plus classique dans l'apologie du vice et du mensonge, répondit la marquise.

L'imprimeur leur mit dans les mains un vademecum : *De l'usage des romans, où l'on fait voir leur utilité et leurs différents caractères. Avec une bibliothèque accompagnée de remarques critiques sur leur choix et leurs éditions*, par M. le comte Gordon de Percel, Amsterdam. L'auteur, qui se nommait en réalité Nicolas Lenglet du Fresnoy, prenait avec véhémence la défense des récits d'imagination.

— On y parle aussi des livres interdits ? s'enquit la marquise.

— *De facto*, puisqu'il contient plus d'une page, répondit le libraire.

Leur choix s'arrêta sur *Histoire du prince Apprius*, *Le Sylphe* et *Histoire du chevalier Des Grieux et de Manon Lescaut*. Ils demandèrent où l'on pouvait rencontrer les auteurs.

— Voyons ! Ces romans-là n'ont pas d'auteur ! Hormis peut-être *Manon Lescaut*, depuis que l'abbé Prévost s'est réfugié à l'étranger.

Ils achetèrent les trois, et aussi le répertoire de M. Lenglet.

— Cela me fait bizarre, d'acquérir le livre de quelqu'un d'autre, dit Voltaire, j'ai l'impression de commettre un impair.

Il partageait les deux points communs à la plupart des écrivains : se plaindre du faible montant de leurs ventes et ne jamais acheter l'ouvrage d'un collègue, sauf à y être contraint par force. Il prit aussi un exemplaire de la bulle *Unigenitus* : peut-être pourrait-il en tirer un petit commentaire de sa façon, pour le lire dans les salons du faubourg Saint-Honoré, puis dans ceux de la Bastille. Il paya ses achats et les donna à porter à Linant, car il tenait à sa réputation.

— Tandis que vous ! Un clerc de l'Église ! Vous êtes insoupçonnable ! lança-t-il à l'abbé, déjà chargé du sac de paille.

Voltaire en vint à l'autre affaire qui les avait conduits dans ce temple de la littérature la plus exigeante. Il confia au libraire l'un de ses jeux d'épreuves à relier. On lui promit de lui faire une belle reliure, promesse qui fut soulignée d'un clin d'œil. Voltaire tâcha de répondre de la même façon. Peu habitué à ce mode de communication, il ressembla à un hibou portant perruque.

Une fois dans la rue, Émilie jeta un regard peu amène au porteur.

— Dites à votre secrétaire de marcher trois pas derrière nous, avec ses sacs. J'ai l'air d'une marchande de saisons.

Linant suivait péniblement, lesté de ses fardeaux. L'idée de quitter l'état ecclésiastique faisait son chemin dans son esprit. Le petit collet se révélait une source de tracas dans le monde des belles lettres : on vous y faisait porter les paquets.

Voltaire regrettait de ne pouvoir discuter avec l'abbé Prévost, certainement de bon conseil en matière de romans outrageux.

— Je l'ai rencontré à Londres. On dit qu'il vit maintenant en Hollande, mais nul ne sait au juste où il est. C'est son moyen de défense, il avance de profil, comme les crabes.

Pour sa part, Voltaire eût préféré ne pas subir les foudres de la censure, car il courait moins vite.

Le problème était à présent de savoir qui lirait leurs achats. Le philosophe se réservait pour la bulle papale, elle l'intriguait davantage que la gaudriole sur papier encré. On ne pouvait confier cette tâche à Émilie, ce n'était pas des lectures pour une marquise. Et l'abbé était trop influençable pour lire quelque chose de plus corsé que l'horaire des diligences.

Tandis qu'ils regagnaient l'hôtel du Châtelet, à trois rues de là, Émilie interrogea le philosophe sur la nécessité de relier les épreuves de ses *Lettres* : n'était-ce pas s'exposer au risque de les voir circuler hors de son contrôle ?

Il comptait bien que ce filou de Josse en imprime-rait quelques volumes en cachette. Si la police brûlait le fonds du Rouennais, il resterait encore les exem-plaires de Paris. Heureusement, le grand horloger de l'univers avait placé plus d'un imprimeur sur terre et plus d'une case dans la tête de Voltaire.

— Ce n'est pas très honnête vis-à-vis de votre monsieur de Rouen, dit la marquise.

L'écrivain haussa les épaules.

— Il y a quelque chose de plus important que l'honnêteté, c'est mon œuvre.

CHAPITRE SIXIÈME

Où il est démontré
que la meilleure littérature
peut se loger dans les plus mauvais lieux.

Aussi pudique que l'on fût, il fallut bien se décider à rendre visite à la maison de débauche où avait été perpétré le premier assassinat.

— Monsieur ! s'offusqua Linant. Jamais un homme de votre talent… de votre condition… de votre… ne saurait se commettre auprès de… de femmes… qui… enfin… des femmes !

— Et puis, j'ai mes coliques, vous avez raison, approuva l'écrivain. C'est pourquoi vous m'accompagnerez. À deux, nous saurons bien les faire parler, ces femmes !

Il lui fit ôter son petit collet d'ecclésiastique, qui risquait d'indisposer. Lui-même alla frapper chez Dumoulin, à l'étage en dessous, et le pria de lui prêter pour la journée l'une de ses grosses jaquettes unies en toile robuste et le manteau de laine qui allaient si bien ensemble. Dumoulin obtempéra d'autant plus volontiers que ce genre de vêtement ne craignait pas les accidents.

— Vous allez à un rendez-vous élégant, peut-être ? demanda-t-il en aidant son locataire à enfiler le pourpoint.

— Pas du tout. J'ai besoin d'avoir l'air d'un boutiquier de province pour l'après-midi.

Il ne s'agissait pas de promener le plus beau nom des lettres françaises sous des plafonds moins glorieux que ceux de l'Académie.

Ils prirent un fiacre et se firent conduire rue du Vert-Bois. Linant demanda qui vivait là. Voltaire répondit que c'était une femme du monde.

— Ah ! fit le jeune abbé. Une dame du monde !

— Pas une dame, une *femme* du monde, la femme de tout le monde, en somme.

Il lui conseilla de prendre mentalement des notes sur tout ce qu'il verrait. Cela se faisait beaucoup, chez les auteurs, il y avait un marché pour ce genre de récit.

Ils quittèrent leur voiture à l'entrée du passage et frappèrent à la porte indiquée par la police.

— Nous allons voir l'abbesse, expliqua Voltaire.

— Ah ! Une abbesse ! répéta Linant avec soulagement.

Il était content de rencontrer une religieuse, tout le reste n'était donc qu'une plaisanterie à la mode voltairienne.

— C'est le mot par lequel on désigne ces matrones, précisa le philosophe, que son étude des mœurs humaines contraignait à savoir ces choses.

68

Linant comprit que l'abbesse tenait du maquereau. Une servante en tablier blanc et coiffe de dentelle leur ouvrit.

— Nous venons voir Madame.

Dans les pires maisons comme dans les meilleures, il fallait toujours demander Madame quand on voulait voir ses filles.

Le salon de réception avait tout d'un tranquille intérieur bourgeois, avec son canapé et ses bergères sans ostentation. Pour ce qui était de Madame, la sobriété de ses broderies noires pâtissait un peu d'une chevelure au roux très soutenu, sans parler du double rang de perles qui lui descendait jusqu'au nombril. La modiste avait cousu, juste au-dessous du décolleté, un gros nœud de satin bleu, afin qu'on ne pût manquer de remarquer ce qu'il y avait de remarquable. Pour le reste, on aurait dit la tante Berthe de n'importe qui. Sa figure honnête était tout le secret de son commerce.

Voltaire se présenta comme un drapier de Vesoul venu à Paris pour ses affaires. Désignant le benêt à ses côtés, il expliqua qu'il avait amené son grand fils pour lui montrer les splendeurs de la capitale – un petit geste fit comprendre à la dame qu'on la comptait parmi les monuments à visiter – et, au passage, pour le faire déniaiser dans les formes requises, afin que ce gros empoté se changeât en parti bon à marier.

L'intéressé tomba des nues.

— Mais ! Mais ! fit l'abbé.

La matrone posa une main garnie de bagues sur le bras du prétendant à la révélation des mystères féminins.

— Ne vous inquiétez pas, jeune homme : nous n'avons encore mangé personne.

Vu l'émoi du postulant, elle jugea l'opération très urgente. On ne prévoyait pas assez les dégâts d'une nuit de noces entre deux innocents ; or, si l'un devait instruire l'autre, mieux valait que ce fût le marié, c'était dans ses prérogatives. Ils avaient frappé à la bonne porte.

— Il n'y a pas d'obstacle à l'accomplissement de vos désirs, messieurs.

Linant tapota de l'index la partie de son vêtement où aurait dû se trouver son col de religieux.

— Pourtant, j'en vois un, moi, d'obstacle, dit-il à l'intention du mécréant qui le jetait dans les bras des vertus à louer.

— Toutes nos demoiselles sont d'une santé, d'une propreté et d'une moralité irréprochables, affirma la maquerelle.

— Ah, vous voyez, mon cher fils, dit Voltaire : d'une moralité irréprochable, on vous dit.

Le cher fils renâclait. Il n'avait pas encore tout à fait choisi entre une carrière dans les ordres et une autre dans les lettres, et celle-ci se révélait de plus en plus imprévisible. Voltaire jugea utile de tirer un peu sur la laisse.

— Pensez à la chance que vous avez, mon fils. Songez à tous ces malheureux qui couchent dans la rue, seuls, dans le froid, le ventre vide…

Linant eut la sagesse de se déterminer pour le parti de la philosophie et des jupons soyeux contre celui de l'errance et de la disette. Puisqu'on était d'accord, leur hôtesse annonça que leurs deux plus belles chambres étaient la rose bonbon et la rouge orientale. Pour une première fois, elle estimait inutile de changer de continent. Soucieuse d'assurer la satisfaction du jeune homme, elle l'interrogea sur ses goûts.

— La religion ! répondit-il spontanément.

Voltaire leva les yeux au ciel.

— Nous n'avons pas cela, répondit la dame, dont la grimace suggérait qu'on lui avait déjà fait ce genre de demande.

L'autre passion à laquelle Linant pouvait songer était celle qu'il éprouvait pour la littérature depuis qu'il avait cru voir qu'on en vivait sans se fatiguer. L'abbesse jugea ce point plus conforme aux coutumes de la maison. Elles avaient un programme spécial « héroïnes littéraires ». Elle nomma quelques filles qui portaient toutes des prénoms voltairiens. Ces demoiselles étaient censées posséder le caractère correspondant à leur modèle. C'était pour intéresser une clientèle éduquée : on avait de la culture. Il y avait la douce Zaïre aux pieds nus, esclave d'un mahométan à l'époque des croisades, la hiératique Ériphyle, drapée dans sa gloire grecque et mythologique, et un choix de muses échappées du *Temple du goût*. Voltaire se tourna vers Linant.

— Je vous disais bien, mon cher fils, que j'allais vous initier aux belles lettres !

Et même aux dessous affriolants des belles lettres, pour ce qu'on en pouvait deviner. Le drapier de Vesoul s'enquit des autres œuvres du maître : *Brutus*, *Œdipe*, *Henri IV*, *Charles XII*… On lui répondit qu'on ne faisait pas dans ce genre-là, mais qu'on pouvait lui donner des adresses.

Il patienta dans le salon bourgeois, tandis que Linant subissait le parcours prévu pour les puceaux. Madame resta faire la conversation au cher papa pendant qu'on s'occupait de propulser son fils dans l'âge adulte. Elle lui expliqua que son rejeton allait être aguiché par une série de jeunes personnes aux attitudes de plus en plus provocantes : déniaisement en douceur garanti.

La matrone avait apparemment de l'inclination pour les lutins aux yeux pétillants ou pour leurs écus : elle lui faisait des mines. C'était, pour l'enquête, un atout que l'écrivain ne pouvait négliger. Il lui fit cent questions sur l'exercice de son métier à l'ancienneté proverbiale. Elle y répondit d'autant plus volontiers qu'elle se méprenait sur l'intérêt qu'il lui portait. Le drapier franc-comtois, qui sortait dans le grand monde, affirma que M. Hérault, à l'occasion d'un souper, la veille au soir, avait conté à la compagnie le crime commis dans cette maison.

L'évocation de ce triste épisode de la vie de lupanar refroidit la maquerelle. Pour faire remonter la température, Voltaire prit dans ses mains celle, potelée, de son hôtesse, et gratifia la dame de quelques vers à la gloire du beau sexe, déjà expérimentés sur plusieurs duchesses qui ne s'en étaient pas plaintes :

Être femme sans jalousie
Et belle sans coquetterie,
Bien juger sans beaucoup savoir
Font vos charmes dans ce boudoir.

Dès la deuxième strophe, l'auditrice n'était plus la tenancière d'un bordel, mais Vénus à Patmos sur un char fleuri tiré par des cygnes. Avant qu'elle ne se liquéfiât tout à fait, il s'efforça de lui faire relater la sinistre séance qui avait causé tant de tracas.

— Cela me fera quelque chose à raconter dans nos salons de Vesoul.

Il se fit servir des biscuits et posa sur la table une pièce d'or dont il s'abstint de réclamer la monnaie. L'éclat du métal fit penser à Madame que l'on s'ennuyait fort, à Vesoul. Elle mentionna des détails dont M. Hérault s'était cru l'unique destinataire, comme l'existence du livre et des pilules. Voltaire voulut connaître le titre de l'un et la nature des autres.

— Pour le livre, c'était *La Chaise d'Alexandrie,* ou quelque chose comme ça.

Quant au reste, elle n'en savait rien, n'étant pas apothicaire. Le drapier à la curiosité insatiable demanda à voir la chambre. Madame n'en fut pas étonnée : on la lui demandait souvent, c'était devenu la principale attraction de son établissement. Justement, elle était libre. À cette heure-là, les Parisiens n'avaient guère envie de caresses coquines – c'était plutôt l'heure des gens de Vesoul. Elle le mena au boudoir persan, convaincue qu'il s'agissait d'un habile prétexte pour la bousculer sur le sofa.

Voltaire n'avait pas cru pénétrer dans la caverne de Platon, mais quand même. Outre deux immenses miroirs, l'endroit était garni de tout ce qu'on pouvait glaner sur la route de la soie : étoffes satinées, coussins pelucheux, tapis d'Orient et brûle-parfum chinois en bronze. Il se fit préciser les circonstances de l'« accident ».

Madame poussa un soupir. Puisqu'on ne la renversait pas sur les coussins moelleux, elle s'y assit d'elle-même. Une nouvelle pièce ranima son empressement : il ne fallait pas décevoir les habitants de Vesoul, très curieux de ce qui se passait dans les boudoirs parisiens. Pour ce qu'elle avait compris, l'inconnu avait été empoisonné. Elle avait eu du mal à suivre l'enquête, occupée qu'elle était à défendre ses filles contre les assiduités d'un détachement de policiers de tous poils. Ces brutalités étaient fort néfastes au petit commerce, plus encore que les empoisonnements : tous les clients de la soirée avaient pris congé sans attendre l'arrivée de la force.

Elle tapota la tapisserie pour l'inviter à prendre place à côté d'elle.

— On se sent si bien, en votre compagnie, dit-elle avec un sourire enjôleur.

Au lieu d'obtempérer, Voltaire poursuivit son examen du décor en se demandant s'il n'était pas temps d'évoquer ses coliques.

— Votre compagnie m'est très agréable aussi, répondit-il aimablement. Alors, ces clients ?

Elle lui recommanda le secret. Nul ne devait penser qu'on entrait chez elle pour s'abandonner aux mains de belles créatures et qu'on finissait entre celles de la police. En réalité, ces messieurs s'étaient esquivés par la porte bourgeoise, tandis que le guet surgissait par l'autre.

— Peut-être une de vos filles s'est-elle emparée du livre pour le lire ? supposa-t-il.

— Oh ! Monsieur ! fit la maquerelle. Elles sont bien trop prudes pour ça !

Elle ne leur permettait que les contes de fée. L'une d'elles venait justement de terminer *La Belle au bois dormant*.

— Que lui donner, maintenant…, dit Madame. *Cendrillon* ?

— Cette Cendrillon me paraît fort délurée, répondit Voltaire. Voilà une demoiselle de famille qui sort le soir, s'habille de façon voyante, très au-dessus de ses moyens, court au bal en cachette et rentre pieds nus, à une heure indue, après avoir perdu sa voiture et ses effets. Une fille de peu, disons le mot.

Ses recherches étaient terminées. Il demanda son chapeau et prit congé.

— Monsieur ! Il me semble que vous oubliez quelque chose !

Il lui revint en mémoire qu'il était venu avec Linant, cet accessoire indispensable à un bon enquêteur.

On lui rendit la chair de sa chair après avoir pris soin de la rhabiller et de la recoiffer pour que les passants ne crussent pas qu'il sortait d'un mauvais lieu. En vérité, à le voir si empoté, Voltaire avait un peu craint qu'on ne le lui abîmât. Mais non, il était comme à son arrivée, les joues un peu plus colorées, peut-être. Pour ce qui était de lui donner l'air moins demeuré, il eût fallu joindre aux héroïnes voltairiennes celles de Racine et de Corneille.

Voltaire quittait la maison avec deux questions – qui avait dérobé livre et pilules ? pour quoi faire ? –

et deux enseignements : le clou de l'énigme s'intitulait *La Bassine d'Ispahan*, ou quelque chose d'approchant, et la meilleure littérature se rencontrait où l'on s'y attendait le moins.

À ce propos, il se renseigna sur les soins dispensés à son héritier présomptif. Linant raconta ce que lui avaient fait les différentes héroïnes.

— Terpsichore a dansé.

— Bien, bien, ça ne m'étonne pas d'elle.

— Zaïre m'a chatouillé.

— Si elles n'ont fait que vous chatouiller, je remonte réclamer mes deux écus.

— Ériphyle s'est promenée sur moi de manière lascive.

— C'est encore trop peu. Je n'ai pas fait que promener mes écus de manière lascive.

La dernière, une femme aguerrie, s'était chargée de terminer.

— Êtes-vous content, au moins ? s'enquit le philosophe.

Linant était surtout déconcerté. Il n'avait pas envisagé sous cet aspect son premier contact avec la vie d'auteur.

— Croyez-moi, dit Voltaire : vous en avez vu la meilleure part.

CHAPITRE SEPTIÈME

*Où l'on constate que les chemins du crime
et ceux de la vertu sont semés
des mêmes embûches.*

Puisque cette affaire tournait décidément autour des
romans pour libertins, il leur fallait un spécialiste, un
érudit-mauvais sujet, un cochon qui lût. Par exemple
l'auteur de ce répertoire acquis chez le libraire, le
comte Gordon de Percel, alias Nicolas Lenglet du
Fresnoy, ce défenseur de la liberté de publier qui
imprimait à Amsterdam. Et puis le nom de « Lenglet »
le prédestinait à secourir l'auteur des *Lettres anglaises*.

Leur future mine d'informations habitait un petit
appartement débordant de livres, vrai temple à la
gloire des lectures condamnées. Voltaire s'y sentit
comme le Saint-Esprit à Notre-Dame.

Dans son habit bleu marine, avec son col blanc
sans dentelles, ses cheveux sans poudre et ses souliers
sans boucles, M. Lenglet avait tout d'un avoué, d'un
notaire, d'un huissier, en un mot d'un gardien des
institutions. Cela ne l'empêchait pas d'être l'avocat
de la licence, le greffier des écrits subversifs, le

veilleur des irrévérences, et de s'ingénier à bousculer tout ce qu'on aurait pu croire qu'il défendait.

Son opposition aux arbitrages de messieurs les censeurs avait déjà valu à cet historien géographe de cinquante-huit ans plusieurs séjours à la Bastille, à la citadelle de Strasbourg et au château de Vincennes. Plus il avançait en âge, moins il se montrait conciliant avec l'intolérance, plus la couronne lui offrait le gîte et le couvert. C'était là une ténacité capable de plaire à un combattant de la pensée. L'esprit mordant et sarcastique de Nicolas Lenglet lui avait créé de nombreux ennemis dont il se vantait d'être haï ; s'il avait nourri une passion pour le drame en alexandrins, il aurait pu s'appeler Voltaire.

Lenglet déclara d'emblée qu'« il avait beaucoup étudié les romans licencieux et qu'il admirait le poème de son visiteur intitulé *La Henriade* ». L'auteur l'en remercia, bien qu'il ne vît pas le rapport entre ces amusettes et sa belle épopée héroïque conçue pour traverser les siècles.

— J'aime tous les genres littéraires, même les plus farfelus, ajouta M. Lenglet.

Voltaire jugea que ses propos n'avaient décidément ni queue ni tête.

— J'aime aussi les farfelus, répondit-il, nous sommes faits pour nous entendre.

Lenglet était une bibliothèque vivante. Voltaire se scandalisa qu'on osât enfermer un tel homme dans des cachots, alors qu'il eût fallu l'exposer dans des universités. Hélas, aussi grande que fût sa culture, leur hôte n'avait jamais entendu parler de *La Chaise d'Alexandrie*. Ni du *Fauteuil de Damas*. *La Console de Bagdad* le laissa tout aussi sec. On se promena un moment à travers le mobilier exotique avec *Le Divan du Caire*, *La Commode d'Istanbul*, *Le Trépied de Salonique*, en vain. Voltaire déclara qu'il se contenterait d'un pouf, pourvu qu'il fût un peu coquin. À bout de vocabulaire, ils lui décrivirent ce qu'ils cherchaient : une cochonnerie façon loukoum.

— À part *Le Tabouret de Bassora*, je ne vois pas, répondit Lenglet.

Le nuage qui obscurcissait le ciel de leur sérénité se dissipa. On le félicita avec effusion, d'autant qu'il fallait l'amener à leur confier son exemplaire. Avant d'en venir à ce petit prélèvement sur ses rayons, Voltaire s'informa aimablement des ouvrages remarquables qu'un si grand savant ne pouvait manquer d'avoir commis.

Nicolas Lenglet écrivait des pamphlets qu'il signait de pseudonymes étrangers tels que « Edward Melton », « Albert Van Heussen », ou même de l'impénétrable « Lengletius », pour ses œuvres latines, sans oublier, bien sûr, l'ineffable « comte Gordon de Percel ».

— À ce propos…, dit Voltaire.

Il sortit de son manteau le volume publié sous ce nom, *De l'usage des romans*, etc. L'auteur tomba des nues.

— Où avez-vous eu cela ?

Son texte n'était pas censé être déjà paru. Il n'avait pas autorisé cette édition et ne l'avait jamais eue entre les mains. La chose n'était pas rare, en un temps où les écrivains ne bénéficiaient d'aucune protection contre les imprimeurs indélicats. Le comte Gordon se

79

désintéressa d'eux pour examiner en détail son livre, qu'il découvrait.

Voltaire était sur le point de le rappeler aux impératifs de la politesse et de la philosophie en marche quand on frappa très fort à la porte d'entrée. Lenglet fit comme s'il n'entendait pas. Les coups se répétèrent.

— Vous attendez du monde, peut-être ? supposa l'écrivain.

Lenglet répondit sans lever le nez de ses chères pages illicites où il faisait l'apologie des idées amorales.

— Ce doit être la police, vu ce que je dis là-dedans. Ne vous inquiétez pas : j'ai mon sac toujours prêt pour les séjours à l'ombre.

Voltaire fut ahuri. Lui qui fuyait les ennuis, il s'était jeté tête baissée dans la nasse à homards ! Il s'enquit d'une issue dérobée : il ne louait jamais un logement qui n'eût au moins deux accès. Lenglet daigna quitter un instant sa passionnante lecture.

— À quoi sert de courir ? Vous irez, quoi qu'il arrive. Nous y serons en paix pour discuter de vos *Lettres anglaises*.

Voltaire connaissait d'autres lieux plus accueillants où parler philosophie. Il n'avait pas besoin de toucher de si près l'arbitraire royal pour le dénoncer. On frappa de plus belle. Il fit un bond. Ces gens avaient bien les gracieuses manières des exempts de M. Hérault.

— Nous sommes perdus ! Nous sommes perdus ! répétait Linant.

— Il est aussi sot de ne pas voir les problèmes que d'imaginer qu'ils n'ont pas de solution, dit Voltaire.

Il referma *manu militari* le volume dans lequel Lenglet s'était plongé et demanda s'il existait dans ce piège à lapin une fenêtre par laquelle un postérieur philosophique pût se faufiler. Leur hôte répondit qu'on avait cela à leur offrir, pour peu qu'ils eussent le pied sûr et la cuisse agile.

La cuisse agile, Voltaire l'avait, on n'était pas philosophe sous Louis XV sans prendre de l'exercice.

— Bon, fit-il. Donnez-nous votre exemplaire du *Tabouret* et bonsoir.

Le bibliophile répondit qu'il n'en possédait hélas plus un seul depuis la dernière visite de la police.

— Je peux vous prêter un tome des *Contes de la princesse Palourde* traduit du chinois médiéval, c'est très bien aussi, proposa-t-il pour les dépanner.

Voltaire le regarda comme la pire chose qui lui fût advenue depuis la critique de ses tragédies dans le *Mercure galant*.

Lenglet eut la bonté de les accompagner jusqu'à la cuisine, où une fenêtre devait offrir une voie de sauvegarde à la pensée contemporaine. Elle ouvrait sur une cour pavée, à vingt pieds[1] en contrebas, ce qui montre que les idées les plus avancées se heurtent parfois aux escarpements les plus périlleux.

Voltaire et son protégé enjambèrent le garde-fou. Ce fut une épreuve. Linant était un boulet. L'écrivain l'eût bien abandonné derrière lui, mais ce gros timoré

---

1. Environ 6,50 mètres.

était capable de le dénoncer à la première gifle du commissaire.

— Allez ! lui cria-t-il. Faites un effort ! C'est pour le bien de l'humanité !

L'idée était d'atteindre le mur suivant, où une autre fenêtre était entrouverte. Hélas, parvenus près de l'angle, ils constatèrent que l'obstacle était infranchissable, à moins de faire preuve d'une souplesse à laquelle de longues études latines ne prédisposaient pas. Il est des moments, dans la vie d'un philosophe, où un entraînement militaire se révèle plus précieux que l'analyse des théories de Descartes. C'était d'autant plus contrariant que Lenglet avait refermé sa fenêtre pour aller s'entretenir avec les autorités si pressées de renouveler connaissance.

Voltaire tâcha de convaincre Linant de faire marche arrière pour aller toquer au carreau, et usa pour cela d'un vocabulaire dont le jeune abbé ne croyait pas les fins esthètes capables. À force de trépigner sur sa corniche, le pied manqua au fugitif. Il voulut se raccrocher à son protégé, qu'il entraîna dans l'abîme.

Ils atterrirent lourdement sur des tuiles pentues, roulèrent philosophiquement vers le pavé et traversèrent une couverture de planches goudronnées qui n'était pas prévue pour recevoir le poids de deux acrobates, fussent-ils les défenseurs du libre arbitre. Attiré par le bruit, le cordonnier qui avait là sa remise fut très surpris de découvrir ses étagères renversées et deux messieurs ensevelis dans les souliers. Voltaire, à qui les fées avaient heureusement donné de la présence d'esprit en plus d'une souplesse à toute épreuve, brandit une bottine au hasard.

— Vous les faites en cuir de Hongrie ?

Il fallut encore se laisser prendre la pointure afin d'adoucir l'humeur de l'artisan et de se tapir à l'abri tandis que la chiourme hantait peut-être encore la rue.

— Je prendrai des mocassins à bout carré, déclara Linant, en tendant lui aussi ses pieds à mesurer, car il estimait qu'on lui devait bien ça depuis sa chute.

— En croûte de porc, précisa Voltaire, qui n'avait pas plus découvert la lampe merveilleuse d'Aladin que le tabouret de Bassora.

Enfin, ils étaient saufs, ce qui ne s'était pas fait sans accrocs à leurs culottes et à leur amour-propre.

Celui-ci eût souffert davantage s'ils avaient vu M. Lenglet ouvrir au livreur de charbon, dont c'était le jour.

À présent qu'ils avaient le titre, il leur fallait l'objet. Où se procurer à coup sûr ce *Tabouret* volant ? Quelques rapides visites aux libraires suffirent à leur faire entrevoir la difficulté. Il s'en était imprimé un petit nombre, dont une bonne part avait été saisie avant de gagner les dessous de comptoirs qui étaient son habitat naturel.

Une idée vint au philosophe. Peut-être les personnes chargées d'appliquer les rigueurs de la loi savaient-elles où dénicher ce titre ? Ils résolurent d'aller voir l'inspecteur de la Librairie.

Pierre-François Godard de Beauchamps était l'auteur du *Prince Apprius*, l'un de ces romans licencieux dont Émilie et Voltaire avaient fait l'acquisition.

Dans sa grande sagesse, le cardinal de Fleury avait pensé qu'un tel homme avait le bagage nécessaire pour traquer les contes grivois ; c'est dire avec quelle férocité on entendait bouter le vice hors de la littérature. Nommer un tel personnage à la Librairie revenait à promouvoir le péché à l'inspection des turpitudes.

De retour de déjeuner, M. de Beauchamps usait d'un reste d'énergie pour se hisser jusqu'à ses bureaux et se laissait tomber sur un siège où la queue de bœuf miroton, les vins de Bourgogne, les sauces, les entremets, avaient raison d'une résolution déjà chancelante. La digestion se faisait le meilleur allié de la licence.

Une fois dans la citadelle de l'ordre, Voltaire demanda où était la vigie des bonnes mœurs. L'inspection avait déjà commencé. Affalé dans un fauteuil, M. de Beauchamps cuvait un ragoût aussi grandiose que les scènes érotiques du jour. Il était épais, rougeaud, et ses babines vibraient au rythme d'une respiration hachée.

— Voilà l'effet d'une cuisine grasse sur le sextant de la géométrie morale ! constata Voltaire, qui s'en tenait à ses lentilles à l'eau.

L'écrivain secoua le pourvoyeur des bûchers, qui ouvrit une paupière.

— Ah ! Voltaire ! N'êtes-vous pas en avance ? Vos *Lettres* sont déjà parues ?

Il pointa le doigt sur un livre qui dépassait de la poche de Linant.

— Où avez-vous eu cela, vous ?

C'était *La Carmélite corrompue*, ouvrage destiné à être lacéré et rôti devant le palais de justice. L'élève en littérature venait de l'acheter dans le couloir. Si monsieur l'inspecteur de la Librairie en chaussons se livrait à l'empire de Morphée, ses employés lui préféraient Mercure, dieu des voleurs.

— Ces crapules font commerce des livres qu'ils doivent détruire ! pesta l'inspecteur.

La corruption était partout. Ayant arrêté, la semaine précédente, un envoi de livres interdits, les employés d'octroi avaient remonté la piste jusqu'à Versailles, jusqu'au château, jusqu'à la cour, et avaient abandonné leurs recherches avant de devoir frapper à la chambre du roi.

— J'ignorais que Sa Majesté sût lire, dit Voltaire. Je pensais que le toucher lui suffisait.

— Oh, oh, oh ! gloussa l'inspecteur, dont la poitrine s'agitait par soubresauts. Vous finirez à la Bastille, vilain railleur ! Savez-vous combien on imprime chaque année de livres en français ? Trois cents ! C'est un raz-de-marée !

Quand Beauchamps eut fini de se plaindre, les visiteurs, qui eussent demandé à saint Pierre comment se procurer du soufre, le prièrent de leur dire s'il savait où l'on pouvait trouver *Le Tabouret de Bassora*.

Hélas, la livraison du *Tabouret* était tombée un jour où les censeurs, irrités par les lacunes de l'inspecteur, lui avaient dépêché l'un de leurs huissiers. Le gros de l'édition avait fini au bûcher. Voilà comment des écrits tout neufs disparaissaient par un zèle mal entendu qui indisposait bien des gens.

Voltaire hocha la tête. Si l'on ne pouvait plus se fier à l'appât du gain et à la concussion, la société courait à sa perte. Les visiteurs laissèrent Beauchamps finir sa sieste et s'engagèrent dans l'escalier, où on leur proposa un florilège de saletés dont le prix seul était un scandale.

— Cette censure royale est une farce, déclara Linant.

Voltaire était assez d'accord, quoique la farce ne le fît pas rire. Tant qu'il ne s'agissait que de volupté, tout le monde s'entendait pour se moquer des grincheux. Pour ses textes à lui, en revanche, on ne manquait pas de fagots. Ses contemporains tenaient moins à leur liberté qu'à leur plaisir : c'était à désespérer du genre humain.

CHAPITRE HUITIÈME

Où l'on apprend à pêcher les perles
sans se faire pincer par l'huître.

Quand il était désespéré, Voltaire allait prendre son café chez Mme du Châtelet. Elle avait fait préparer de la chicorée. Il fit la moue.

— La chicorée, c'est amer, le thé, c'est fade, et le chocolat me dérange l'intestin. Ce ne sont pas des boissons pour les philosophes.

Elle promit de lui procurer de la ciguë à sa prochaine visite.

Ayant fait asseoir Linant devant une assiette de biscuits dont on put bientôt croire qu'elle n'avait jamais été pleine, l'écrivain raconta leurs déboires. Sa conclusion était d'une simplicité cartésienne : comme on ne pouvait plus acheter le *Tabouret de Bassora*, il ne restait qu'à le voler. Qui pouvait se vanter de posséder des ouvrages interdits ? Peut-être la bibliothèque du Parlement de Paris, cette institution qui décidait desquels seraient brûlés ?

— J'ai des parlementaires dans ma famille, dit Émilie. Je peux vous affirmer que l'endroit ne vaut pas le déplacement ; à moins de vouloir consulter l'œuvre complète de Jansenius[1], qui y figure en bonne place, et pas dans la section des réprouvés.

Il leur vint simultanément à l'esprit le nom d'une personne qui recherchait les textes prohibés avec autant d'acharnement que les collectionneurs : le lieutenant général de police. Voltaire fit la grimace.

— Je ne tiens pas à aller le lui demander. Quand il ferme la porte derrière moi, je n'ai jamais la certitude qu'elle se rouvrira.

De toute façon, si l'auteur des *Lettres philosophiques* voulait obtenir la bienveillance des institutions, il devait leur fournir un coupable et non une piste. Il fallait donc soustraire l'ouvrage à son gardien. Le lieutenant général réservait certains jours à des entretiens avec les corps de métiers ou avec les différentes instances parisiennes. Son calendrier était réglé avec la précision d'une horloge. Ils consultèrent l'almanach.

— Voyons…, dit Voltaire. Le vendredi est le jour d'audition des prostituées…

Il jaugea la marquise d'une façon qui ne plut guère.

— Donc, reprit-il, dernier vendredi du mois, les petites dames en contravention avec la loi…

— Oui, bien, la suite, dit Émilie.

D'autres rendez-vous étaient consacrés au contrôle de l'urbanisme, à la surveillance des égouts, aux entreprises de nettoiement, à l'approvisionnement en

---

1. Jansenius (1585-1638), évêque d'Ypres, fut à l'origine du mouvement religieux au sein de l'Église catholique appelé jansénisme.

vivres, à l'exécution des règlements de la Librairie – c'était le jour où M. de Beauchamps venait se faire tirer les oreilles –, aux affaires de mœurs, à la répression de la mendicité, à la sécurité publique. On n'avait qu'à faire son choix, tout était engageant.

— Mais combien sont-ils, à la lieutenance ? dit Émilie. Et avec tout cela, M. Hérault trouve encore le temps de vous tourmenter !

— Je crois que je suis sa récréation, dit Voltaire.

Il y avait aussi la composition des milices, la réquisition des ouvriers pour les charrois et équipages de la Maison du roi, le contrôle des élections universitaires, la surveillance du clergé – coup d'œil à Linant, qui observa avec intérêt le fond de sa tasse. On comprenait mieux pourquoi Hérault déléguait certaines enquêtes à des écrivains qui, la chose est connue, n'ont rien à faire de leurs journées.

Tous les quinze jours, le lieutenant général réunissait le magistrat criminel, le procureur du roi, le lieutenant criminel de robe courte, le prévôt de l'Île et le commandant de la garde de Paris « pour conférer de tout ce qui était arrivé depuis la dernière assemblée, relatif à la sûreté et à la tranquillité publiques ». Ces messieurs auraient de quoi s'occuper, la cour serait encombrée et les bureaux déserts.

La présence d'Émilie était un atout : elle possédait sur René Hérault un ascendant mystérieux. Voltaire nommait ce pouvoir « envoûtement féminin », une formule qu'emploient les hommes quand ils ne comprennent rien aux femmes. Linant fut prié de se joindre à eux dans son costume d'abbé. La marquise était dubitative.

— Mais si, plaida Voltaire. On ne sait jamais, il y aura peut-être des policiers de province qui croient encore à la respectabilité des gens d'Église.

Au jour dit, les comploteurs se présentèrent au Châtelet sous une apparence qui permettait de se fondre dans le décor. Émilie s'était mise en lavandière, robe raccourcie en bas, très décolletée en haut, couverte de nœuds en camaïeux de mauves et de fleurs en tissu.

— Mais ça, c'est une lavandière pour chanter à l'Opéra, fit observer Voltaire dans la carriole qui les menait à la forteresse médiévale.

Il lui enjoignit d'ôter le superflu. La marquise le jugea peu tolérant.

— Ce n'est pas parce qu'on est une femme du peuple qu'on n'a pas droit à un peu d'élégance !

Au passage du portail, un gardien demanda à Linant qui il était. Le jeune abbé s'intitula « conseiller en surveillance des écrivains catholiques ».

— Fort bien, dit le garde, ce sont les pires ! Cette *Manon Lescaut* de l'abbé Prévost, une prostituée qui séduit les jeunes gens par ses attitudes impudiques, pour les attirer dans des boudoirs où se commettent des actes charnels, des accouplements illicites, dans des postures que la morale réprouve, nus sur des canapés, les seins de cette bougresse se frottant contre le corps du malheureux chevalier...

On vit qu'il avait étudié la question. Les enquêteurs se hâtèrent de pénétrer dans le bâtiment. Voltaire avait appris un peu de droit, au temps où son père espérait lui voir prendre un emploi sérieux. Pour l'occasion, il avait endossé le sombre habit des notaires, avait renoncé à cette belle perruque qui faisait tant pour sa prestance et portait sous le bras un gros livre de comptes.

Les plus hautes autorités de police traversèrent la cour de l'édifice moyenâgeux. À regarder ces multiples têtes de l'hydre policière s'engouffrer sous ces vieilles pierres un peu déchaussées, Voltaire se prit à rêver d'un tremblement de terre.

Un secrétaire chargé d'accueillir les visiteurs leur confirma que le lieutenant général conservait des exemplaires afin de comparer avec les ouvrages saisis. Le problème, c'était qu'il les conservait sous clé.

— Toi, la grande perche ! cria quelqu'un, l'index pointé sur Émilie.

Tandis que la « grande perche » se figeait, le reste du trio fila dans le corridor. L'homme, qui devait être le régisseur du Châtelet, entraîna la lavandière vers la buanderie, où il lui remit un gros tas de linge malpropre. Il y avait du sang dessus. Elle remplit son panier avec des mines dégoûtées.

Les deux autres se hâtèrent vers le cabinet des horreurs. Son meuble principal était une grosse armoire à serrure.

— C'est fichu, dit Linant. Le lieutenant général a sûrement la clé pendue à sa ceinture.

Voltaire le pria de fermer la porte et de le laisser réfléchir.

— Si j'étais Hérault, je ne voudrais pas m'encombrer d'un trousseau pesant et cliquetant. On ne s'élève pas jusqu'à ces fonctions pour jouer les geôliers.

Il observa ce qui les entourait.

— Parions que je le ferai mat en trois coups !

Il renversa un broc.

— Trop simple.

Il voulut examiner le dessus de l'armoire, qui était inaccessible.

— Trop compliqué.

Il fit un effort pour se mettre au niveau d'un serviteur de Sa Majesté : beaucoup de perspicacité, peu d'imagination. Il passa la main sous la table. Ses doigts rencontrèrent un objet métallique qui chut sur le plancher. Si un jour Hérault l'enfermait à la Bastille, il serait judicieux de jouer avec lui sa libération aux échecs.

Le mécanisme ne fit pas de résistance, preuve qu'il servait beaucoup.

C'était en vérité la caverne d'Ali Baba. Au prix du papier interdit, il y avait de quoi se constituer des rentes. Chaque ouvrage portait une étiquette où étaient précisées la teneur et la date de l'arrêt. La main de l'écrivain fut attirée par les volumes reliés d'un beau cuir rehaussé de dorures.

— Tiens donc, il y a l'ex-libris du prince de Guise, sur ceux-ci. Et la reliure porte ses armes. C'est très compromettant.

Il en fourra un dans la poche de son manteau et se concentra sur l'objet de leur visite. On cherchait un conte oriental. Les deux hommes s'aperçurent que tout le monde en produisait. Il y avait *Les Mille et Un Jours*, « contes persans », *Les Mille et Une Soirées*, « contes mogols », *Les Mille et Une Heures*, « contes péruviens », *Les Mille et Une Faveurs*,

« contes indiens », et même *Les Mille et Un Quarts d'heure*, « contes tartares ».

— C'est le tour du monde des mille et une cochonneries ! dit Linant, qui avait des bouffées de chaleur tandis qu'il caressait chaque volume d'un index moite.

— Victoire ! s'écria l'écrivain.

Il venait d'identifier *Le Tabouret de Bassora* entre un recueil d'estampes hindoues et une méthode pour faire repousser les cheveux, dont ils se demandèrent ce qu'elle faisait là. Voltaire enfouit le roman dans ce qu'il lui restait de poches libres, ils refermèrent l'armoire et déposèrent la clé à l'emplacement où René Hérault s'attendait à la trouver.

Plusieurs archers discutaient sous le porche. La sortie s'annonçait périlleuse.

— Nous sommes cuits, dit Linant.

— Mais non, répondit Voltaire.

D'une brusque bourrade, il le poussa en avant sur le pavé et cria : « Au voleur ! » Les hommes d'armes interrompirent leurs débats pour saisir au col cet inconnu en noir, à la figure effarée, qui traversait la cour.

— Mon fils ! Vous vous oubliez ! glapit le suspect.

Son habit fit naître un doute.

— Le voleur s'est enfui par là, mon fils, ajouta Linant, à qui la peur du bâton donnait de l'à-propos.

Les soldats coururent vers le fond du bâtiment et les fugitifs prirent la direction inverse, d'un pas aussi digne que possible. Ils récupérèrent Émilie, cachée derrière une charrette de salades qui n'avaient pas leurs papiers. Elle s'était extraite à grand-peine de la salle de garde, après avoir été gratifiée d'un monceau de linge puant et de maints pincements au derrière dont les marquises n'avaient pas l'habitude.

— Notre police a des mœurs dépravées. Il fera beau temps quand je remettrai les pieds entre ces murs.

Elle avisa, près du portail, une femme qui avait l'air d'une vraie lingère. Elle lui remit son panier et la gratifia d'un bon pourboire.

— Tenez, ma fille, de la part de monsieur le lieutenant général. Vous ne volez pas votre pain.

CHAPITRE NEUVIÈME

Où il est confirmé que tout ce qui est bon
vient d'Angleterre.

Rentrés rue de Longpont, les rois de la cambriole se hâtèrent d'examiner ce livre qui leur avait coûté tant d'efforts et d'émotions.

Pour l'extérieur, c'était un volume de la sorte la plus courante, à la couverture de papier marouflé sur carton, aux angles renforcés par de petites pièces de cuir bouilli. Jamais on n'eût pensé qu'un si banal objet pût faire tant de mal.

Il ne leur fallut pas longtemps pour comprendre que *Le Tabouret de Bassora* était un décalque du conte d'Aladin : le meuble était magique, il exauçait les vœux de quiconque s'y asseyait.

Voltaire s'assura que tout le monde suivait bien.

— Vous avez lu *Les Mille et Une Nuits*, Linant ?

— Vous savez, au séminaire de Rouen… Le supérieur ne nous laissait pas sortir après le crépuscule.

S'ils avaient des vœux à faire exaucer, les aspirants curés étaient censés s'adresser aux saints du paradis.

Le tabouret était d'un usage plus direct. Après

l'avoir frotté, de même que pour la lampe merveilleuse, mais avec les fesses, on se voyait transporté
sur le lieu de ses désirs. Voltaire aurait bien eu besoin
d'un tel meuble pour fuir la censure à la parution de
chacun de ses livres. Il lut à haute voix les premières
lignes.

— *Il était une fois, à Bassora, à la lisière d'une
palmeraie, un humble chamelier nommé Nassour, si
pauvre qu'il ne possédait pas même une chèvre à
échanger contre une épouse.*

— C'est charmant ! C'est charmant ! s'extasia
l'ancien séminariste.

— *Nassour rêvait de rencontrer les plus belles
femmes du califat, celles dont les tétons étaient percés
d'anneaux en or qui tressautaient au bout de leur
opulente poitrine à chacun de leurs pas. Aux jambes,
on disait qu'elles portaient un voile transparent qui
laissait voir...*

Le lecteur s'interrompit. Linant avait les yeux qui
lui sortaient des orbites. La littérature lui faisait beaucoup d'effet. Voltaire tourna quelques pages pour voir
un peu quel était le propos qui servait de prétexte à
ces exhibitions de chairs dorées par le soleil du golfe
Persique.

Comme il en est de tout instrument créé par
l'homme ou par les djinns, l'usage du tabouret
magique variait du bien au mal selon les préoccupations de ses propriétaires. L'un désirait la fortune,
l'autre une amitié fidèle, certains convoitaient la possession d'une jeune personne enfermée dans un
harem, d'aucuns recherchaient l'amour véritable ;
leurs souhaits aboutissaient toujours à des scènes

scabreuses décrites avec la plus totale absence de retenue. Émilie lui emprunta le volume et parcourut l'un des contes.

— Vous souvenez-vous de cette maisonnette de Charonne où nous avons découvert ce spectacle si affreux ? demanda-t-elle.

Voltaire aurait payé cher – disons à hauteur d'un demi-écu – pour oublier l'incident.

Son vœu n'était pas près d'être exaucé. Le héros du conte se faisait transporter dans une forêt. Il y rencontrait une princesse changée en gazelle par un enchanteur. À peine redevenue femme, l'ensorcelée, qui n'avait pas même un voile transparent pour sauver sa pudeur, se jetait au cou de son sauveur et le remerciait de toutes les manières à la disposition d'une demoiselle qui n'a rien sur le dos. Leurs ébats terminés, le héros se changeait à son tour en cervidé, était surpris par un chasseur et finissait nu, une flèche fichée dans le dos.

C'était bien là ce qu'ils avaient vu, dans ce pavillon décoré de bois de cerfs, où le jardin et les tableaux champêtres suggéraient la forêt. La gravure qui illustrait le conte était la même que celle enroulée autour du projectile. Comment l'assassin avait-il pu reconstituer l'ambiance du récit dans la maison du traiteur ? On remit à plus tard de lire le livre et de voir ce qu'on en pourrait tirer pour la préservation de la philosophie et de ceux qui la servaient.

Linant sorti, Émilie révéla à Voltaire quelques potins de la cour. Louis XV trompait la reine avec Louise de Mailly.

— Ne le répétez pas, c'est un secret ! Il ne s'agit pas d'en faire la vingt-sixième lettre philosophique de votre traité !

Cette idée indigna le philosophe. Ses *Lettres anglaises* n'évoquaient pas les coucheries des monarques, elles exposaient des questions primordiales, telles que la nécessité, pour les Quakers, de porter de grands chapeaux noirs et des poches sans boutons.

Céran annonça l'arrivée de visiteurs impromptus qui insistaient pour voir monsieur. Ils n'avaient pas donné leurs noms, mais parlaient avec un fort accent et avaient l'air bizarre. Émilie s'en fut dans la pièce contiguë, ôter son costume de lingère.

Le valet-secrétaire-lecteur introduisit une brochette d'oiseaux marcheurs vêtus de redingotes longues et coiffés de couvre-chefs en tuyau de poêle. Ces chapeaux, entourés d'un gros ruban assorti au pourpoint, surmontaient une perruque carrée, choucroutée, vaporeuse et parfaitement démodée. La tenue rappela des souvenirs au locataire de la rue de Longpont.

— Mais ! Mais ! *Come to my arms*[1] !

C'étaient des Anglais, venus en délégation lui apporter un cadeau d'outre-Manche. À leur tête marchait Henry Fox, jeune noble à qui sa vivacité et son manque de principes promettaient une belle carrière en politique. Voltaire inspirait les politiciens britanniques qui l'avaient lu, alors qu'il indisposait les ministres français qui ne le lisaient pas. Pour l'heure, M. Fox visitait le continent pour ne pas s'exposer à

_____

1. Dans mes bras !

rencontrer ses créanciers de Londres, une attitude très aristocratique.

Ils avaient espéré d'être reçus au Club de l'entresol, une société d'hommes de lettres qui chantait volontiers les louanges de leur pays, mais l'entresol avait fermé.

— Vous avez donc poussé jusqu'à mon premier étage, dit Voltaire.

Il était reconnaissant aux Anglais de l'avoir accueilli lors de son exil de 1726. Pour honorer ses visiteurs, il s'adressa à eux dans ce qu'il estimait être leur langue.

— *Please forgive my accoutrement and the bric-a-brac of my décor. It is so kind of you to visit me in my cul-de-sac. If I had known you were coming I would have changed chemise and bonnet instead of receiving you in my déshabillé.*

Dès son arrivée en Grande-Bretagne, il avait appris la liste complète des mots français passés en anglais : c'était autant de moins à retenir.

On lui demanda des nouvelles de sa santé.

— *Yesterday I had a frisson. Now I feel a grand fatigue but I eat with bon appétit.*

Il leur proposa une collation.

— *Let's have an impromptu dinner. Would you like some fromage frais ? Some eau-de-vie ? An omelette ? I have a nice artichoke purée with a rest of sauté.*

Ses hôtes étaient venus se nourrir de littérature. Ils le regardaient sans rien dire, un sourire aux lèvres, on aurait cru qu'ils admiraient la *Joconde*. L'un d'eux, les joues roses, lui tendit un paquet ficelé.

— Oh ! Un présent ! Comme c'est gentil !

Voltaire s'empressa de couper la ficelle et de déchirer le papier.

— *But this is my book !* s'écria-t-il avec cet accent qui évoquait à l'oreille des Britanniques le vin rouge et le fromage à pâte crue.

Ils avaient choisi le cadeau avec un goût parfait. C'étaient les premiers exemplaires des *Letters on the English* imprimés à Londres, une édition dans la langue de Shakespeare, l'autre dans la langue de Voltaire.

Que n'était-il aimé chez lui comme il l'était chez eux ! Il effaça une larme du revers de la main.

— *Ah ! My poor man !* dit-il à Henry Fox. *I am surrounded with bandits ! They make my life a complete carnage. A coterie works to my consternation. My destiny is not enviable. They took away my joie de vivre.*

Les Anglais lui exprimèrent leur compassion.

— C'est un bien triste sort que l'on vous fait de ce côté-ci du *Channel, sir.*

Sur l'autre rive, on avait du goût pour les curiosités venues de France, au premier rang desquelles le pâté de foie gras, le vin de Champagne et Voltaire.

— Je serai toujours reconnaissant à votre peuple de m'avoir secouru ! assura-t-il.

— Et nous regretterons toujours de vous avoir laissé partir, répondit Henry Fox.

En quelque sorte, ils venaient réparer cette erreur. Ils lui suggérèrent d'élire une nouvelle fois leur pays comme refuge : après avoir acheté le livre, ils voulaient acheter l'auteur. Lord Bolingbroke, qui était parvenu à vendre l'écrivain à Sa Gracieuse Majesté, désirait l'exhiber de même façon que ses chevaux de courses et ses lévriers.

— *This is such a beau gest of you !* répondit l'opprimé. *Your country is an enclave of liberty.*

Il promit de réfléchir posément à la proposition. Pour l'heure, il annonça une attraction encore plus excentrique qu'un écrivain français : une marquise mathématicienne.

— *Let me introduce the marchioness du Châtelet, my aide-de-camp. She shines at the firmament of our science !*

Les visiteurs approuvèrent. Les *marchionesses* scientifiques faisaient un heureux pendant aux philosophes quasi bilingues.

— *The marchioness is in the boudoir. Come, my dear ! We have some beau monde here !*

Il expliqua qu'elle avait commencé à apprendre l'anglais sur son conseil.

— *But Mme du Châtelet speaks déjà much better than me*, assura-t-il.

L'espoir d'une conversation sensée renaquit.

— *I had a coup de foudre for this lady*, indiqua-t-il en confidence, tandis que la marquise entrait et leur tendait sa main à baiser.

Alors que Voltaire, qui avait vécu deux ans à Londres, les avait reçus avec son baragouin, Mme du Châtelet, qui n'avait pris que cinq leçons, leur récita un extrait de Newton.

— *Plato is my friend, Aristotle is my friend, but my greatest friend is truth. If I have seen further it is only by standing on the shoulders of giants*[1].

---

1. Platon est mon ami, Aristote est mon ami, mais ma plus grande amie, c'est la vérité. Je n'ai pu voir loin qu'en montant sur les épaules de géants.

Ils lui firent compliment de son intérêt pour leur langue. En réalité, si Newton eût parlé chinois, elle les eût salués en mandarin. À la vue de leurs perruques mal ficelées et trop bouclées, elle comprit d'où son ami tirait ses goûts capillaires. Ils avaient l'air de poussins d'une même couvée.

— *Look !* fit Voltaire. *It is my book !*

— *I can see that*, répondit Émilie. *It is wonderful.*

Elle n'avait pas l'air de trouver cela *wonderful* du tout. Elle soupçonnait, derrière ces faces ravies, quelque projet pour lui enlever un philosophe qui faisait la joie de ses soirées studieuses et qu'elle n'avait aucune envie de suivre au pays du pudding et de la bière tiède. Son impression se vérifia.

— Ces gentlemen m'offrent la protection de George II, ma chère.

— *Marvellous*, fit la marquise. *Lucky you.*

Les Anglais étaient fermement décidés à soutenir Voltaire, qui contribuait à faire progresser leurs idées sur le continent. Et puis, un livre qui parvenait à contrarier Louis XV, à obnubiler son gouvernement et à déstabiliser son royaume ne pouvait qu'être excellent. L'auteur avait eu la bonté de proclamer, dans son texte à la gloire du Royaume-Uni, que l'annexion de l'Acadie par la couronne britannique était de bonne politique ; il avait oublié que la fameuse tolérance anglaise ne s'étendait pas aux catholiques et que la discrimination restait de rigueur ; il affirmait que l'Albion avait combattu Louis XIV au nom de la liberté de l'Europe, ce qui était osé.

— J'ai beaucoup aimé mon séjour chez vous : on n'a jamais cherché à m'enfermer à la Tour de Londres.

— Vous serez le bienvenu quand vous voudrez, affirma Henry Fox. Vous le voyez : nous avons de bonnes presses pour imprimer vos livres et de bonnes barques de pêche pour les faire parvenir en France.

— Ah ! Londres ! J'allais à l'Opéra, écouter la signora Cuzzoni et Il Divo Senesino…

Émilie était tout sourire.

— Vous auriez dû écrire sur le bel canto, plutôt que sur votre vilaine philosophie qui ne nous crée que des ennuis.

Il vit bien qu'elle boudait, en dépit de sa mine affable. Il ne la déplacerait pas si facilement vers l'autre rive de la Manche, elle était attachée à la France comme Andromède à son rocher. Quitter les Français, peut-être, mais se sentait-il de taille à quitter la marquise ? Cet exil-là lui parut une épreuve.

— *I would be déclassé, dépaysé, I would be de trop.*

À défaut de les suivre tout de suite, il leur suggéra de recueillir l'abbé Prévost, qui était toujours à la recherche d'une terre d'asile.

Ils firent la fine bouche. L'abbé Prévost écrivait des indécences ; cela, les Anglais savaient le faire sans avoir besoin d'importer des Français ; mais irriter toute l'administration et faire trembler la galerie des Glaces, c'était la prérogative de la grenouille en bonnet de feutre qui se tenait devant eux, l'œil brillant et la langue agile.

Leur empressement à le protéger fit d'ailleurs naître quelque crainte. Voltaire commençait à se demander s'il avait bien mesuré la portée de ses *Lettres philosophiques*. Tout Français fêté par les Anglais avait lieu de s'inquiéter : c'était soit un malentendu, soit l'amorce de longs déboires avec son propre pays. Il se promit de jeter un coup d'œil à son texte dès qu'ils seraient partis.

Peu après, il agitait son mouchoir par la fenêtre en criant :

— *Adew ! Adew !*

La marquise était soulagée : l'invasion anglo-saxonne avait été repoussée.

— Ils sont gentils, hein ? dit Voltaire. C'est ce qu'on fait de mieux, dans le genre protestant. La rigueur de la réforme tempérée par la fantaisie propre à leur île ; aussi drôles que des catholiques, mais moins obtus dans les matières philosophiques. Que ne suis-je né Anglais !

Les censeurs du continent avaient le même regret.

Il avait en main son édition. En fin de compte, il la trouvait mal faite, mal imprimée, mal reliée.

— Ouh, qu'il est vilain, ce livre. Je ne vais pas dire qu'il est de moi, j'en rougirais.

Et puis cela eût été dangereux.

CHAPITRE DIXIÈME

Où l'on voit Satan aller à la messe.

Puisque ses *Letters on the English* étaient parues, Voltaire voulut voir si elles étaient parties pour bien se vendre.

— Vous voulez faire le tour des librairies ? supposa Linant.

— Quelle idée ! Pour quoi faire ?

Les libraires n'en avaient pas, les gazettes n'en parlaient pas, les salons étaient fréquentés par une élite trop cultivée pour avoir de l'influence. La véritable promotion de son œuvre se faisait ailleurs.

Il troqua son apparence de grenouille philosophique pour celle, digne et sévère, d'une grenouille de bénitier : tout en noir, façon mauvais coucheur. S'en tenir jour après jour à la mode du règne précédent présentait un avantage : quand il se changeait, nul ne le reconnaissait plus. Il arracha Linant à ses désespérants efforts de versification, et les deux hommes préparèrent leur périple littéraire de la journée.

Il ne pouvait être question d'aller à Saint-Gervais, en face : le déguisement n'eût pas résisté, l'écrivain y était trop connu. Il avait sous la main l'horaire des messes parisiennes – c'était l'impie le mieux équipé de la capitale. Il avait coché les paroisses les plus dures, celles où le jansénisme dominait.

— Avec votre œil hébété, vous nous ferez passer pour de vrais dévots, dit-il à Linant. S'il faut communier, vous irez pour nous deux : je ne digère pas le pain non levé.

Le Banquet de Platon dissimulé sous la couverture d'un missel, il était paré pour juger de la publicité faite à ses travaux.

— Ah ! Monsieur va à la messe ! dit Dumoulin. Monsieur a enfin pris de bonnes résolutions !

Voltaire constata que son prête-nom faisait preuve d'une grande sagacité qui le portait néanmoins à des conclusions erronées.

Ils se mirent en route pour Saint-Pierre-Saint-Paul, qui n'était pas loin. C'était une belle église, dont le style mêlait le baroque romain et le gothique. Ses voûtes élancées avaient vu passer maintes personnes célèbres : Bossuet, Marc-Antoine Charpentier ou Mme de Sévigné, qui avait habité tout près. On s'installa et l'on attendit le début de la célébration. Cela sentait la bougie et l'encens. Le ciel chargé assombrissait les voûtes de pierre. Il y avait une ambiance d'apocalypse. Voltaire ne put s'empêcher de rire tout seul.

— Si l'on disait que je vais entendre la messe, je n'ose imaginer la réaction de mes lecteurs.

— Ni celle des fidèles qui nous entourent, murmura Linant, plus inquiet de sa sûreté que des tirages de son protecteur.

Les paroissiens assis de part et d'autre n'avaient pas des têtes à supporter la critique de la religion.

Son missel platonicien sur les genoux, Voltaire n'arrivait pas à se concentrer sur la pensée athénienne du IVe siècle avant Jésus-Christ, il gardait un œil sur sa montre. Enfin ce fut le prêche. Le début augura fort bien. Au lieu de commencer par « Mes chers frères, mes chères sœurs », le curé lança un tonitruant : « Peuple de Jérusalem ! Les soldats de Babylone sont aux portes de la Ville sainte ! La mâchoire de Baal menace le saint temple ! » Voltaire devina qu'on allait parler de lui.

Le sermon fut bien venimeux, bien acide, émaillé de récriminations outrées. Comme il n'était pas permis d'applaudir, l'assistance faisait claquer les pieds des chaises pour marquer son approbation.

— Le glaive divin frappera l'auteur des *Lettres sataniques* ! tonitrua le prêcheur.

— En vente chez Goupillard, rue Saint-Dominique, chuchota Voltaire aux personnes les plus proches.

Le sermon terminé, les deux hommes se retirèrent au milieu des crépitements de chaises. Ils n'eurent que le temps de courir à Saint-Germain-l'Auxerrois, une autre bonne adresse.

Les *Lettres* furent citées dans tous les discours qu'ils entendirent.

— Cela va être un grand succès ! se réjouit l'auteur.

Le curé de Saint-Germain-l'Auxerrois le décrivit comme l'incarnation du malin en perruque Régence.

— La Régence, mes chers frères ! lança-t-il avec un très beau jeu de manches. Les orgies ! L'impiété du prince qui gouvernait la France ! Le règne de l'argent vite gagné, de l'agiotage ! Qui d'entre nous a oublié les intempérances qui avilirent le royaume très chrétien ?

— Nous nous égarons, chuchota Voltaire. Au fait, au fait !

Ils trottinèrent jusqu'à Saint-Étienne-du-Mont, se hâtèrent vers Saint-Eustache, coururent à Saint-Jean-en-Grève, firent un saut à Saint-Séverin et terminèrent avec Saint-Nicolas-du-Chardonnet, dont le curé était sur le point d'être exclu des docteurs de la Faculté pour cause d'hérésie. De retour de leur tournée, ils tombèrent sur Dumoulin, qui entassait dans la cour des sacs de paille et de chiffons.

— Monsieur a-t-il aimé sa messe ?

— Surtout celle de Saint-Séverin. C'est là-bas que nous vendrons le plus : on m'y compare à l'antéchrist.

Voilà qui ferait bien monter le prix à un écu.

— La semaine prochaine, nous irons évangéliser dans les faubourgs, ajouta-t-il, ravi.

Émilie n'était plus jamais là. Voltaire avait cru courtiser une savante, il était un peu déçu de constater que la femme de science se doublait d'une mondaine effrénée. Elle-même aurait eu droit de lui faire remarquer que le brillant philosophe se doublait d'un souffreteux dont les entrailles se déréglaient trois jours la semaine.

Pour se consoler, il écrivit quelques lettres très peu philosophiques où il se posait en cocotte délaissée : « Mme Duch est toujours à la cour. Pour moi, je reste dans ma solitude, entre poésie et philosophie. »

Pour l'heure, la poésie venait de Bassora. Quand un livre est bon, on s'intéresse à l'auteur. Qui pouvait être le père de ce chef-d'œuvre méconnu, si impressionnant qu'il avait inspiré un assassin ? Il allait devoir espionner les romanciers libertins sans se faire connaître. Mais quel déguisement pouvait dissimuler Voltaire aux yeux des gens de lettres… Un déguisement d'Émilie !

La marquise s'apprêtait à monter en voiture quand Céran, tout essoufflé, tout crachotant, le teint bleu, l'œil rouge, lui tendit un billet. On pouvait y lire :

J'ai longuement hésité à vous déranger pour vous prier d'assister à mes derniers instants. Si vous m'aimez, venez m'embrasser et me dire adieu. On m'assure que je ne verrai pas le soleil se lever.

Émilie accourut sans trop de hâte : la nouvelle de sa bonne santé eût été plus extraordinaire.

Quand Dumoulin annonça la marquise, Voltaire vit avec satisfaction que ses petits mandements retentissaient encore comme des coups de canon. Elle, en revanche, fut fâchée de le trouver en vie, pas même à l'article de la mort, bien qu'alité et enfoui sous trois épaisses couvertures, ce qui était beaucoup pour un mois d'août.

— Vous n'avez pas l'air plus mourant que d'habitude, remarqua-t-elle.

— Votre présence est un baume, lui assura le moribond avec un sourire de momie.

Dumoulin parti, la marquise se plaignit une fois de plus du bonhomme. Elle avait dû se faufiler entre les ballots de vieux chiffons pour accéder à l'escalier, et les cuves dans lesquelles on les mettait à macérer exhalaient une puanteur qui empêchait d'ouvrir les fenêtres.

— Je ne comprends pas pourquoi vous habitez chez cet homme faux, dans cette rue incommode.

— Dumoulin m'a soutiré une grosse somme, expliqua l'industriel en déchets organiques. Je vis chez lui pour récupérer mon avoir comme je peux : sa femme fait mon ménage, ils me nourrissent.

— Et vous supportez la proximité d'un aigrefin ! s'indigna la marquise.

— Ma philosophie me le permet.

Elle lui demanda pourquoi il l'avait fait venir puisque, de toute évidence, ses funérailles n'étaient pas pour tout à l'heure.

— D'abord, je veux vous empêcher d'aller perdre vos écus sur les tables de jeu de Versailles.

De l'avis d'Émilie, la cavagnole[1] n'était pas plus risquée que la cohabitation avec un filou, et les pâtés en croûte de la reine étaient sûrement plus fins que les lentilles de Mme Dumoulin.

En plus de la préserver des tentations, il désirait la voir se cultiver un peu. Par exemple, dans les cafés des gens de lettres. Si elle voulait accomplir le dernier vœu d'un mourant, elle devait aller prendre un

---

1. Autre nom du biribi, jeu de cartes et de hasard pour lequel la reine Marie Leszczynska avait une passion.

chocolat chez Procope. Lui ne pouvait s'y rendre : Alexis Piron y campait jour et nuit.

— Piron est plus hargneux que le lieutenant de police ! J'ai… hum… parlé de sa pièce.

Émilie poussa un soupir. Pour lui plaire, elle accepta de se transporter au Procope et au Gradot.

— Pas au Gradot ! Il n'y a là-bas que de grincheux savants ! Vous perdriez notre temps !

Elle promit de ne pas s'arrêter chez les grincheux savants, mais de rentrer directement présenter son rapport au grincheux philosophe.

Le Procope, rue des Fossés-Saint-Germain[1], non loin de la Comédie-Française, était un lieu très fréquenté. Sa façade vitrée, une innovation, procurait de la clarté aux personnes attablées. Les premiers salons étaient meublés de guéridons pour les buveurs, les suivants, de tables plus larges pour ceux qui désiraient manger. Il y avait de hauts miroirs, comme chez les nobles, et, sur les étagères, des bouteilles en verre, comme chez les marchands de sirops.

Autour des nappes rondes discutaient des auteurs et des comédiens. On allumait, en fin de journée, des bougies à l'intérieur de bocaux transparents qui pendaient du plafond. Les romans étaient le thème de toutes les conversations – ceux qui les écrivaient, ceux qui rêvaient d'en faire autant.

Comme une dame ne pouvait décemment se montrer seule en public, Voltaire lui avait prêté son Linant. La marquise et l'abbé prirent place dans un

---

1. Aujourd'hui au 13 rue de l'Ancienne-Comédie.

coin et glissèrent une pièce au garçon, afin qu'il leur désignât qui de ces messieurs avait commis des textes licencieux. Il y avait M. de Querlon, employé à la Bibliothèque du roi, qui collaborait au *Mercure de France* et rédigeait, disait-on, certains récits coquins marqués « À Constantinople, chez l'imprimeur du Moufti ». Il discutait avec l'abbé de Voisenon, grand vicaire de la cathédrale de Boulogne-sur-Mer, autre fauteur de récits à scandale. On plaisantait, on s'esclaffait, on parlait haut. Émilie se dit que, décidément, l'enfer était fréquenté par des gens amusants, et qu'en plus le café y était bon.

Le garçon désigna M. de Crébillon fils, connu pour avoir écrit *Le Sylphe*, conte oriental très incorrect. Le mot « oriental » leur accrocha l'oreille. C'était un excellent candidat.

Émilie tenait un nom, elle jugea sa mission remplie. Elle avait assez traîné dans les cafés littéraires hantés par de mauvais sujets. Curieuse de voir si le café des sciences était aussi mal famé, elle lâcha messieurs les auteurs et se rendit à l'autre établissement à la mode, quai des Écoles.

Le Gradot possédait une compagnie toute différente. Elle reconnut d'emblée, près de la fenêtre, l'économiste Melon et le physicien Maupertuis. Bien que l'endroit fût moins clinquant, elle s'y sentit davantage dans son élément. Au garçon qui prétendait lui barrer le passage sur le motif futile que l'établissement était interdit aux femmes en général, elle répondit qu'elle ne se considérait pas comme une « femme en général ». Attiré par les éclats d'une soprano dans ce concert de graves, Maupertuis s'entremit pour qu'on fît une exception envers les marquises.

Les mots savants fusaient. On parlait de la nature corpusculaire de la lumière, on se traitait de sybarite, les tenants de la mécanique cartésienne affrontaient les adulateurs de la modernité britannique, Émilie jugea ces discussions d'une plus haute portée que le débat sur les mérites comparés des toges grecques et des péplums latins qui enflammait le Procope. Et puis, sur la banquette, il y avait Maupertuis, le descendant de corsaire de Saint-Malo à l'œil canaille. Après avoir supporté les coliques philosophiques, les mathématiques malouines avaient un attrait irrésistible. La marquise estima qu'elle avait bien gagné ce petit délassement dédié au savoir et à l'intelligence.

Voltaire avait prédit qu'elle y perdrait son temps ; telle n'était pas son impression. Maupertuis avait le teint frais, les yeux vifs, bref, c'était un Voltaire que le grand horloger eût dessiné avec plus de soin. Le dos droit, le mollet galbé, il n'avait pas l'air de faire des mathématiques, il avait l'air de descendre de cheval après avoir mené son régiment à la conquête de quelque nouveau monde qui, en réalité, se nommait analyse algébrique. Cette façon d'être lui conférait une pointe de mystère qui le rendait irrésistible. Et puis, chaque fois qu'il la regardait, Émilie avait envie de répondre : « Comme vous voudrez », même quand il lui demandait combien on pouvait faire tenir de sphères dans un cube dont le côté valait six fois leur diamètre au carré.

Voltaire disait qu'il n'aimait rien tant qu'une belle femme capable de parler mécanique céleste. Émilie avait tout à fait le même point de vue. Maupertuis émettait des x et des y comme d'autres récitent des poèmes. À trente-quatre ans, il était déjà de l'Académie des sciences depuis dix ans. Autant dire que c'était un génie, la sorte d'homme qu'elle préférait. Sa trigonométrie rectiligne la changeait des vers un peu bancals couchés sur le papier par son écrivain favori, sans parler de ceux qu'il abritait dans ses intestins.

— Vos asymptotes me fascinent, laissa-t-elle échapper.

— C'est parce que vous ne connaissez pas encore mes parallaxes, répondit le savant avec un sourire à griffer les tableaux noirs.

Quand il se mit à évoquer les théories de Newton, elle sentit que l'attraction universelle la poussait de ce côté de la banquette.

Il existait donc un deuxième paradis, en plus de celui dédié aux belles lettres. L'ange qui vous accueillait dans celui-ci était moins coliqueux, moins édenté, moins émacié, mais non dépourvu de charme pour autant. Au troisième axiome, Émilie décida qu'elle pouvait se passer de chaperon. Elle laissa Linant aller seul au rapport tandis qu'elle prenait une leçon de mathématiques qui lui faisait battre des cils.

CHAPITRE ONZIÈME

*Où Voltaire discute littérature
avec un chien, un ours et un corbeau.*

Voltaire fut trop satisfait des informations glanées par sa marquise pour noter qu'elle lui adressait comme messager un sous-fifre à la mine penaude. Ainsi donc, le compas pointait vers Crébillon fils. Il décida de fouiller philosophiquement les armoires du suspect. Bien sûr, cela n'irait pas sans difficulté. N'importe qui pouvait entrer chez cet homme, mais pas à n'importe quel prix.

Voltaire avait besoin d'un factotum habile et malin. N'en n'ayant pas sous la main, il appela Linant. L'apprenti versificateur serait plus utile dans cette mission qu'à peiner sur l'acte I de la tragédie voltairienne qu'on lui avait donné à rédiger.

— Mon cher Linant, ce n'est pas à l'abbé, que je parle, c'est au futur espoir de notre scène française. Comment tenez-vous l'alcool ?

Il s'agissait de se faire passer pour un auteur en herbe, fils du propriétaire d'une belle vigne. Linant était fort excité à l'idée d'être présenté à la jeunesse cultivée de la capitale. Il s'inquiéta du discours à tenir pour se faire valoir auprès de ces jeunes gens : devrait-il parler de ses centres d'intérêt, citer les grands auteurs, révéler qu'il connaissait Voltaire ? Ce dernier ouvrit sa cassette.

— Prenez cette pièce, allez chez l'Auvergnat du bout de la rue, achetez un tonneau de sa meilleure piquette et faites-le livrer à l'adresse qui est sur ce papier.

« Heureusement que je m'occupe de sa carrière », songea-t-il en regardant son secrétaire quitter la maison d'un pas guilleret.

La commission accomplie, Michel Linant se rendit rue Française. La façade de la Comédie-Italienne s'ornait d'anges de pierres munis de la croix et des instruments de la passion. C'était le seul théâtre de Paris où les coups de pied aux fesses et les farces burlesques se donnaient « Au nom de Dieu, de la Vierge Marie, de saint François de Paule et des âmes du Purgatoire », devise inscrite au fronton de l'établissement. Il prit un billet pour le parterre, qui était rempli de jeunes auteurs plus riches d'avenir que d'écus.

On ne pouvait manquer d'y remarquer une équipe de zozos débraillés, à la mine malicieuse, à la fine moustache, qui semblaient se demander à tout instant en quel lieu aller festoyer ensuite. La jeunesse littéraire se discernait de la jeunesse tout court par ses rentrées aléatoires et son insouciance élevée au rang de dogme.

L'abbé agit selon la prescription de Voltaire : il applaudit avec force aux bons passages et hua les longueurs, sans quitter de l'œil les spectateurs les plus agités, car il importait de ne pas huer à contretemps.

À l'issue de la représentation, la petite troupe disparut dans les coulisses. Linant glissa la pièce au concierge, et ce sésame lui ouvrit la porte d'un paradis de carton-pâte.

Les allées débordaient d'éléments de décors entassés, de costumes pendus à des cintres roulants, de comédiens en chemises et de comédiennes à divers stades du déshabillage. Il se présenta à la compagnie sans soulever un grand intérêt. Il apportait une bonne bouteille ; on le pria de s'asseoir. La nouvelle qu'il écrivait des vers passionna peu ; celle qu'il était fils d'un producteur de vin plut davantage ; la perspective d'une fourniture de tonneaux gratuits acheva de lui attirer les sympathies.

On parla de choses et d'autres, des batiks à la mode, de colifichets, et surtout on dit beaucoup de mal de la Comédie-Française. Plusieurs personnes ici avaient des raisons de détester ce pilier du théâtre parisien, qui détenait depuis un demi-siècle le mono-pole des représentations en langue française.

Pour sa part, Linant se borna à répondre « certes oui », quelle que fût la question, et à écouter le reste sans piper mot, sur le conseil de Voltaire, qui n'espé-rait pas tirer de lui quelque chose de mieux. Quand ces messieurs se levèrent pour aller dîner, sa proxi-mité avec les chais bourguignons lui valut d'être de la partie : on n'avait rien contre les têtes nouvelles et il y avait toujours des additions à régler.

Ils avaient leurs habitudes dans un cabaret à l'enseigne du *Caveau*, au carrefour de Buci. Situé près des spectacles de la Foire Saint-Germain, l'éta-blissement possédait en outre d'excellents alcools. Il y avait là un original qui avait hérité un commerce d'épicier droguiste dont il se faisait fort de provoquer la ruine dans la bonne humeur ; un avocat au parlement de Paris par force, poète par goût, auteur de farces et de parades à jouer sur les tréteaux ; un librettiste qui organisait la résistance à la Comédie-Française ; un dramaturge et un auteur de chansons gaillardes, qui se lancèrent dans un concours de couplets obscènes. Crébillon fils, tout mince, long comme s'il était passé entre deux rouleaux à essorer les draps, observait ses amis avec une réserve qui était la marque de son tempérament.

En fin de soirée, Linant leur proposa le vin de papa. Crébillon demanda où l'on pouvait se procurer ce nectar.

— Chez vous, répondit l'aspirant littérateur. Je vous l'ai fait livrer.

On s'exclama. Ce garçon ne doutait de rien, il avait de l'initiative, il possédait la corne d'abondance ; il devint à l'instant leur meilleur ami.

Crébillon occupait un vaste logement au dernier étage d'une maison ancienne qui ne payait pas de mine. Le tonneau qui attendait sur le palier arracha des cris de joie à la petite escouade. On s'égailla dans l'appartement, où le nouveau venu eut le loisir de se déplacer à sa convenance. On lui recommanda seulement de ne pas ouvrir la porte au fond du couloir, derrière laquelle vivait un vieux ronchon.

Le tonneau mis en perce, Linant profita de la beuverie : pour le prix d'une barrique, il s'offrit la visite des armoires. Sur le secrétaire du romancier, un ouvrage manuscrit intitulé *L'Écumoire japonaise* retint son attention. Une mention indiquait « À Pékin,

Chez Lou-chou-chou, imprimeur de Sa Majesté chinoise pour les langues étrangères ».

Plongé dans cette lecture, devant les tiroirs ouverts, des liasses de papiers plein les mains, l'abbé ne vit pas l'ombre imposante qui glissait derrière lui dans ses chaussons de tricot. Le parquet craqua. Le lecteur sursauta et se retourna. Il était pincé.

À son réveil, avec son café matutinal, Voltaire trouva sur le plateau un mot anonyme et sibyllin.

On pourra, quand on voudra,
venir reprendre ce qu'on a perdu
là où l'on sait.

Linant avait donc accompli sa mission de manière linanesque. L'écrivain se voyait contraint d'aller chez les Crébillon leur redemander son élève. Non seulement on sauvait le monde de l'obscurantisme, mais il fallait, en plus, s'occuper du petit personnel.

Il se présenta à leur adresse, qu'il avait le malheur de connaître, et, puisque la porte palière n'était pas fermée, il entra sans s'annoncer. L'état du logement était stupéfiant. C'était un champ de bataille. Des gens ronflaient ici et là, sur les sofas, dans les bergères, jusque sur les tapis, dans un pêle-mêle d'hommes de lettres et de leurs muses naturelles, les demoiselles peu farouches. Dans les vestiges de cette bacchanale trônait un baril qui eût suffi à abreuver un bataillon. L'écrivain déposa sa canne et son chapeau sur un guéridon.

— Ah ! Cher monsieur de Voltaire ! s'exclama cette tige de monsieur fils, en entrant dans la pièce.

— Pas de noms, je vous prie, répondit le visiteur.

Crébillon ouvrit une fenêtre pour donner de l'air tandis que les fêtards se cherchaient un coin plus silencieux. Voltaire lui tendit le vilain billet reçu avec sa collation, comme s'il se fût agi d'un récépissé de consigne pour venir chercher ses malles au terminus des diligences.

— Voilà donc notre marchand de vin ! dit le jeune romancier, que la situation amusait beaucoup.

On entendit des coups sourds. Curieusement, ce n'était pas à la porte, qu'on frappait, mais à l'intérieur d'un placard. Claude de Crébillon donna un tour de clé et ouvrit les battants. Voltaire découvrit son Linant recroquevillé sur lui-même, tassé, coincé, enfermé dans l'un des réduits qu'on l'avait envoyé explorer.

Il fut tenté de déclarer qu'il y avait erreur, que ce pantin grotesque n'était pas à lui. Mais une compassion quasi philosophique et les yeux de chien battu de son protégé l'engagèrent à faire front pour le tirer de là.

Il fallut tout d'abord déplier le déplorable espion et le faire asseoir sur un fauteuil, où il ingurgita un fond de vin, ultime reliquat du tonneau.

— Vous aurez à cœur de m'expliquer ce que votre secrétaire faisait avec le brouillon de mon *Écumoire japonaise* entre ses mains moites, dit monsieur fils.

— C'est une obscénité ! s'écria Linant, un peu rasséréné. Ce texte fourmille d'allusions salaces !

Il ajouta plus bas, à l'intention de son protecteur :

— Ne pactisez pas avec cet individu. Dès la parution de ces horreurs, M. Hérault l'enverra versifier au donjon de Vincennes.

Voltaire, qui ne comptait pas sur les aptitudes de

son assistant pour conduire sa diplomatie, devait à présent négocier un silence total sur cette affaire embarrassante. Le jeune auteur de romans lestes n'était pas fâché de titiller un peu le célèbre écrivain qu'il tenait au bout de sa plume.

— Que dirait le monde s'il savait que vous envoyez vos gens fouiller les tiroirs de la concurrence ? dit monsieur fils.

— Que dirait M. Hérault s'il savait que vous préparez… Comment dites-vous, Linant ?

— Des cochonneries ! couina l'abbé.

Voltaire était bien certain que ce secret-là valait le sien, c'était pourquoi on l'avait convoqué. Soucieux d'éteindre au plus vite l'incendie, il voulut bien concéder qu'il devait réparation : il y aurait quelques livraisons de tonneaux supplémentaires. La fouille des placards se révélait plus onéreuse que prévu.

Au fond de l'appartement, la porte qui donnait sur l'escalier du grenier venait de s'ouvrir. Une nuée d'animaux s'engouffra dans le couloir et fila vers le salon. Sous les yeux effarés de l'abbé, la pièce se changea en une jungle où s'ébattait une faune incontrôlable. Les armoires devinrent des arbres pour les chats, les sofas, des terriers dans lesquels rampaient les chiens. Une nature sauvage et folle reprenait ses droits sur le mobilier. On aperçut même plusieurs oiseaux moins aimables que des perruches.

Voltaire reprit en hâte ses canne et chapeau sur le guéridon. Linant sauta sur son fauteuil et se cramponna au dossier.

— Mais qu'est-ce que c'est que ça ? dit-il d'une voix aiguë.

— La première raison pour laquelle j'évite de venir ici, quand je peux, dit l'écrivain.

Au milieu de la meute apparut un géant d'environ soixante ans, au visage rougeaud. Voltaire leva les bras au ciel.

— Et voici la deuxième.

Reclus dans son grenier, Crébillon père entretenait une quinzaine de chats, vingt-deux chiens et quelques volatiles avec lesquels il passait son temps. Toujours fumant, ne fréquentant personne, hormis son fils, il s'occupait à composer dans sa tête des tragédies qu'il négligeait de retranscrire. Linant nota la présence d'un corbeau, précieux compagnon à qui l'auteur déclamait ses improvisations.

— Qui se permet de déranger un dramaturge ? dit le monumental ami des envahisseurs poilus.

Voltaire s'inclina imperceptiblement.

— Croyez bien, cher ami, que j'ai tout fait pour ne pas vous infliger ma présence.

— Ah ! fit le vieil écrivain. Voltaire !

Il jaugea l'intrus avec une expression qui eût mieux convenu pour étudier ses bêtes curieuses.

— Mon fils, ajouta-t-il à l'intention de la grande perche, vous me ferez plaisir en cessant de ramasser n'importe qui pour vos soirées. Il m'est déjà assez pénible d'enfermer mes petits compagnons, je n'aime pas qu'ils s'exposent au désordre et à la promiscuité quand ils peuvent enfin s'ébattre en liberté.

Ayant dit cela, il écarta deux gros chiens mous qui encombraient le sofa.

— Alors, Voltaire ! lança-t-il, une fois assis.

Chaque fois qu'on prononçait ce nom, un affreux et

minuscule roquet faisait « wif ! » de la manière la plus irrévérencieuse. Le philosophe le chassa de la main.

— Allez ! File, euh… Kiki…

— Son nom n'est pas Kiki, Voltaire ! dit le maître du cerbère microcosmique.

« Wif ! », fit l'animal.

Le visiteur songea avec consternation que la loque assise devant lui était son principal concurrent en matière de tragédie.

— Alors, Voltaire ! reprit leur hôte. Pas encore de l'Académie ? Je vous y attends depuis deux ans !

Cet homme était une source inépuisable de contrariétés. Avoir osé se faire élire à un fauteuil convoité par le penseur de la rue de Longpont n'était pas la moindre d'entre elles.

— Vous savez bien qu'on ne vous honore que lorsqu'on veut m'agacer, répondit le candidat malchanceux.

Crébillon père éclata d'un rire à faire trembler les vitres.

— Vous tombez bien ! Vous allez me dire ce que vous pensez de ma pièce !

Avant que son auditoire, pétrifié par la surprise, n'eût prononcé un mot, monsieur père se dressa de toute sa stature pour déclamer ses alexandrins sur un ton de croque-mort qui aurait avalé un tambour.

Si les œuvres du fils avaient la légèreté de la dentelle dont on fait les sous-vêtements pour dames, celles du père étaient aussi pesantes qu'un brocart de velours doublé de martre. Il déroula sa litanie d'une voix traînante qui faisait durer chaque mot deux fois trop longtemps.

Quoi ! ce père, l'objet de toute ma tendresse,
Qui me cherchait encor quoiqu'il me vît sans cesse,
Ce père qui semblait ne vivre que pour moi
Ne pourra désormais me voir qu'avec effroi !

Un dernier trémolo exprima l'agonie du héros et fut suivi d'un silence accablé. Crébillon le jeune leva les yeux au ciel. Il devait y avoir du vécu dans la tirade. Voltaire fouilla dans ses souvenirs.

— Je connais cette chose...

— J'ai remanié mon *Pyrrhus*[1], dit le stentor. Qu'en pensez-vous ?

— Que vous aurez un succès à la Pyrrhus.

— Mon père a une mémoire fabuleuse, dit monsieur fils. Il compose entièrement sa pièce dans sa tête avant de l'écrire. Aimeriez-vous entendre la suite ?

— *Quel transport imprévu de votre âme s'empare ?*, récita aussitôt le dramaturge.

Linant pâlit.

— Non, non, merci, c'est trop d'honneur, nous devons partir ! affirma Voltaire.

— Un instant ! dit « Pyrrhus », la main levée.

Vu la taille du tragédien, cet appendice, large comme une patte d'ours, arrivait bien au-dessus de la tête du philosophe à perruque. Monsieur père venait de s'aviser que la présence de son confrère entre leurs murs était encore plus incongrue que celle des vingt-deux chiens, des quinze chats, du corbeau et des quelques ronfleurs oubliés çà et là. Il lui demanda en quoi on pouvait lui rendre service.

---

1. Tragédie donnée en 1726 par Crébillon père.

Voltaire, qui ne tenait pas à s'expliquer sur la maladresse de son secrétaire, mit la conversation sur le sujet du *Tabouret de Bassora*, dont il cherchait toujours l'auteur.

— Est-ce quelque chose comme la brouette balinaise ? demanda l'académicien.

On lui expliqua de quelle sorte de siège magique il s'agissait.

— Je préfère les sofas, répondit monsieur père en se rasseyant sur le sien.

Quant au fils, la mention de l'ouvrage libertin ne lui arracha pas même un cillement de paupière.

Le visiteur les remercia de leur courtoisie et s'arracha à ce guet-apens, Linant sur ses talons. Il n'était pas content, en dépit de sa sérénité philosophique.

— Vous voyez ce que vous me faites faire ! reprocha-t-il à l'empoté.

— Mais…, fit Linant, qui avait bien souvenir d'avoir été envoyé dans ce traquenard par son mentor.

Voltaire était fâché d'avoir essuyé les sarcasmes du fils et le pensum du père.

— J'ai horreur des gens qui se croient obligés de réciter leurs vers sans qu'on les en prie. Quelle impolitesse !

Cela lui fit penser qu'il devait bientôt dîner chez Mme du Deffand, où l'on serait certainement très heureux d'entendre la nouvelle version de son *Adélaïde Du Guesclin*.

CHAPITRE DOUZIÈME

Où l'on voit que le succès se montre
parfois plus accablant que l'échec.

Voltaire n'aimait pas la tournure que prenait cette enquête. Il n'en retirait que des désagréments. Puisqu'il n'y avait plus eu de nouveaux meurtres et que Hérault s'était lassé de le tourmenter, il résolut de laisser tout cela mijoter comme un ragoût de bas morceaux auquel il ne faut surtout pas toucher.

Et puis il avait ses *Lettres philosophiques* à publier ; ça importait tout de même davantage que les meurtres crapuleux, ça. Il fallait souhaiter qu'un événement heureux se produisît en France, afin qu'il pût distribuer son livre à la faveur de l'euphorie générale. À défaut, une bonne guerre eût aussi convenu.

Justement, Émilie rentrait de Versailles, la tête pleine d'informations confidentielles à ne répéter sous aucun prétexte. Elle envoya Linant lui chercher de la poudre de riz dans le quartier du Louvre.

— Mais ! C'est près de chez vous ! s'insurgea l'abbé.

— Oui, voilà, dépêchez-vous, répondit la marquise.

Linant parti en traînant des pieds, Voltaire estima qu'elle en usait à son aise.

— Pourquoi lui donnez-vous des courses à faire, à mon élève ?

— D'abord parce qu'il n'est bon qu'à ça, ensuite parce que j'ai à vous dire des choses.

Elle s'assura que le mielleux Dumoulin n'avait pas l'oreille collée derrière la porte.

— Sans vouloir critiquer, il y a tout de même chez vous des cafards de très grosse taille.

— Que voulez-vous, dit Voltaire. Leurs flatteries sont le seul plaisir qui me reste.

— À se laisser flatter par des médiocres, on ne l'est que médiocrement, trancha la marquise.

La cour bruissait des nouvelles de Varsovie. L'empereur et la tsarine Anna Ivanovna voulaient faire élire Auguste III de Saxe roi de Pologne. Louis XV estimait que le sceptre revenait à Stanislas Leszczynski, son beau-père.

— Très bien ! dit Voltaire. La France envahit la Pologne, nous plaçons beau-papa sur le trône, tout le monde fait la fête pendant une semaine et je publie mes *Lettres* dans la foulée !

Plutôt que de soutenir la gloire de la littérature dans le fracas de ses fusils et de ses canons, le gouvernement avait choisi une autre tactique. L'un des grands motifs qui poussaient la France à aider papa Stanislas à reconquérir son sceptre, c'était la dépense qu'il occasionnait. Le cardinal de Fleury, fatigué de l'entretenir à Chambord sur les deniers de l'État, l'envoyait tout seul à Varsovie, se faire couronner ou fusiller : dans les deux cas, on y gagnerait.

Voltaire revint à des sujets plus graves que le sort des Polonais : la place accordée à la littérature. Il était déçu par l'accueil réservé à la non-parution de ses *Lettres philosophiques anglaises*.

— Mon livre est bon, la censure l'adore, mais on n'en parle toujours pas dans les gazettes !

Certes, il était difficile, pour la presse, de rendre compte d'un livre qui, officiellement, n'existait pas. Voltaire avait inventé la littérature fantôme. Ni *Le Mercure*, ni *La Gazette de France*, ni *Le Journal des Sçavans* ne pouvaient se permettre de le citer.

Un brouhaha montait de la rue. Dumoulin vint annoncer que les imprimeurs parisiens, ayant entendu parler des brillantes perspectives d'interdiction qui se profilaient, proposaient d'en publier une édition clandestine et confidentielle.

Voltaire s'effraya. Cette exhibition n'avait rien de confidentiel. C'était le moment d'aller en promenade dans un quartier éloigné de la Bastille.

Si la renommée des *Lettres philosophiques* n'était pas encore assez importante pour enrichir son auteur, elle l'était déjà assez pour accabler son éditeur. Alors que Voltaire préparait sa fuite loin des hordes publiphiles, un pauvre hère qui traînait derrière lui une charrette à bras s'engagea dans la rue de Longpont. Il arrêta son véhicule en face de la maison et se présenta à la porte, où on lui refusa l'entrée, comme aux autres, au milieu d'un flot de protestations. Les importuns avaient institué un ordre en fonction de leur arrivée. Perplexe, Jore sonda la file d'attente.

Elle se composait d'un imprimeur, de deux imprimeurs, de trois imprimeurs… Il arrêta là son examen.

Sur le point de céder à l'horreur que provoquait en lui cette concurrence inattendue, il vit un personnage tout en gris, qui avait l'air d'un commerçant, annoncer que « Monsieur recevrait ces messieurs dans un moment ». Tandis que l'émissaire accaparait l'attention des solliciteurs, le libraire avisa un bonhomme qui sortait d'un pas rapide, le visage dissimulé sous un immense chapeau recouvert d'un voile de deuil noir et opaque. S'il faisait exception du couvre-chef, cette silhouette malingre lui rappelait quelqu'un. Il lui emboîta le pas et accrocha le fuyard alors que celui-ci se faufilait derrière la charrette.

— Hep ! fit Jore.

— Ce n'est pas moi ! dit une voix sous le chapeau. Je n'ai rien publié ! Je ne sais pas écrire !

Après lui avoir à son tour souhaité le bonjour, Jore désigna la foule assemblée de l'autre côté de la rue.

— Il y a bien des gens, devant chez vous.

— C'est mon jour de bonté : on distribue de la saucisse.

Jore craignit que cette saucisse ne lui restât sur l'estomac. À ce propos, il avait été cuisiné par le lieutenant général de police.

— Ah ! Mon pauvre ! Vous n'avez pas prononcé mon nom, au moins ?

M. Hérault lui avait présenté le programme : imprimeurs, vendeurs et colporteurs de livres interdits étaient passibles d'amendes, du carcan, de la prison, des galères et de l'exil.

— Il m'a dit : « Choisissez. »

Les libraires parisiens étaient sous surveillance. Au premier signe de parution, on avait prévu de leur faire subir filatures, fouilles et perquisitions. À peine sorti des griffes du bon M. Hérault, Jore avait couru se cacher. D'après sa femme, la police l'avait devancé chez eux, en Normandie. Il vivait désormais en proscrit, se terrait dans un grenier et circulait à couvert.

Voltaire estima urgent de ranimer son courage.

— Libraire, voilà un métier pour les amoureux du danger, pour les hommes friands d'une vie aventureuse, pour les rebelles, les indomptables ! Ah, mon cher Jore ! Vous m'impressionnez ! Vous avez l'étoffe d'un héros de notre temps !

Le héros avait la mine sombre.

— Je dois vous prévenir que si on venait à me torturer, j'avouerais.

Voltaire déglutit péniblement. Il espéra que ce cher soutien des œuvres polémiques avait celé avec soin l'édition censée ne pas exister.

— Elle est très bien cachée, répondit Jore. Voyez vous-même.

Il souleva un bout de la bâche qui couvrait sa charrette. Celle-ci était remplie de livres. Il en tendit un à Voltaire, qui le prit comme un tison ardent.

— Surtout, ne les écoulez pas ! implora l'auteur. Attendez la victoire en Pologne !

Jore le prévint qu'il allait avoir des frais de non-publication. À vue de nez, il y en aurait pour mille cinq cents livres tournois.

— Vous m'écorchez ! protesta l'écrivain. C'est une malhonnêteté !

— Dame, fit Jore en désignant la file qui s'étirait

le long de la maison d'en face, je ne digère pas les saucisses.

La petite promenade changea de direction. On courut chez l'agent de change le plus proche, quoique, en réalité, le mot « courir » soit exagéré : on ne pouvait abandonner la charrette explosive qui pesait son poids de scandale.

Les deux hommes entrèrent dans l'échoppe du sieur Pasquier, rue Quincampoix. L'écrivain souleva son voile de crêpe.

— Vous me reconnaissez ? Je suis… un ami de Mme du Châtelet.

Il portait, cousu dans la doublure de son manteau, un billet à ordre au nom de la marquise. Elle le lui avait remis pour qu'il pût retirer de l'argent n'importe où, au cas où il eût été contraint d'entrer dans la clandestinité. Jore s'étonna de ces complications.

— Vous n'avez pas cette somme, vous ?

— Il faudrait que je demande à Dumoulin et il est mal luné, aujourd'hui.

M. Pasquier compta à Voltaire une dotation suffisante pour s'offrir des vacances de pacha, qui disparut aussitôt dans la poche de M. Jore. L'écrivain n'avait plus qu'à se serrer la ceinture en attendant le jour béni de la victoire polonaise. Il arrive parfois aux plus roués de tomber sur plus malin qu'eux.

— Pour votre édition, recommanda le bailleur de fonds, vous creusez un trou profond, vous la jetez dedans et vous la déterrez quand je vous le dis.

De retour dans la rue, il regarda s'éloigner le maquignon et sa charrette fatale. Il venait d'acheter sa tranquillité à prix d'or ; encore ignorait-il combien de temps cette garantie tiendrait. Restait à rembourser au plus tôt la marquise, qui avait de gros frais en pompons, diamants et parties de cavagnole.

C'était là bien du tracas pour un malheureux auteur. Cette vilaine affaire de sous et de belles lettres lui en rappela une autre, qui mêlait romans libertins et crimes sanglants. Là était peut-être sa sauvegarde contre les parutions sauvages. Il importait de savoir si le marché avec René Hérault tenait toujours.

Voltaire se fit annoncer dans le bureau du lieutenant général de police, au Châtelet, où il pénétra en s'exclamant :

— Ah ! Cher ami ! Monseigneur !

René Hérault haussa le sourcil, qu'il avait épais. « Monseigneur » était le titre dont se servaient les quémandeurs : c'était mauvais signe.

Le visiteur avait à lui parler de ses *Lettres*. Il n'espérait plus recevoir la permission du grand sceau, accordée après lecture du manuscrit, quand le censeur royal s'était assuré qu'il ne contenait pas une seule ligne litigieuse ; c'est-à-dire que si votre ouvrage ne valait rien, on vous permettait de l'imprimer. Il existait heureusement des permissions moins officielles.

— Tenez, mon cher, obtenez-moi la permission tacite et nous serons amis !

Nonobstant son peu d'empressement à devenir l'ami de Voltaire – autant sauter à l'eau en plein hiver –, Hérault voulut bien étudier la question. Inventée sous la Régence, la permission tacite autorisait l'impression de livres « tolérés ». Elle s'appliquait à ceux qui présentaient une critique indirecte, légère et dissimulée de l'ordre établi. Hélas, il y avait dans le moindre sonnet de Voltaire quelque chose d'urticant qui empêchait les bien-pensants de dormir.

— La permission secrète, alors ? tenta le philosophe avec un regard de chaton sous la pluie.

Ultime chance des mauvais esprits, la permission secrète était directement accordée à un libraire par le lieutenant général de police.

— Voulez-vous me faire monter sur votre navire en train de sombrer ? demanda ce dernier. Ai-je l'air d'avoir perdu la tête ?

Voltaire ne voulait pas disserter sur ce dont le lieutenant général avait l'air ; il avait l'air de quelqu'un qui pouvait beaucoup pour la littérature, cela lui suffisait.

Au fond de lui, Hérault n'était pas loin de penser comme le philosophe venu plaider sa cause : il se battait lui-même chaque jour contre les préjugés de classe et les pesanteurs féodales, qui s'opposaient souvent à l'ordre et à la justice. Il subissait, lui aussi, le joug d'un pouvoir très partial. Il eût volontiers éprouvé de la sympathie pour ces idées si leur auteur ne l'eût pas tant énervé.

— Aidez-moi, Arouet ! Agissez pour le bien public !

— Certes... Mais qui agira pour mon bien à moi ?

— De toute façon, vous êtes fichu, c'est la forteresse qui vous attend. Faites une bonne action, vous laisserez un bon souvenir.

Voltaire avait bien prévu de lutter pour l'amélioration de la condition humaine ; il n'avait pas prévu que ce serait en martyr.

Hérault avait lui aussi des remarques.

— Dites-moi, on vous voit beaucoup dans ce bâtiment, ces derniers temps…

L'intérêt d'un certain comptable sautillant pour l'armoire aux ouvrages interdits l'avait incité à en vérifier le contenu. Cette tâche, qui avait pris une heure, avait permis de mettre en évidence la disparition d'un vilain ouvrage intitulé *Le Tabouret de Bassora*. Il accusa Voltaire d'être l'auteur et du vol et du roman.

L'accusé bafouilla tant il était offusqué. Il travaillait au salut de l'humanité, non comme marchand de meubles.

— Ai-je une tête à avoir écrit un *Tabouret* ?

Hérault le mit en garde. Aujourd'hui, on l'en soupçonnait ; demain, on l'en accuserait devant le parlement ; après-demain, on brûlerait ses textes, et le jour suivant on le rouerait en place de Grève pour assassinat.

— Jamais je n'écrirais de telles abominations ! s'insurgea Voltaire. Quiconque me connaît vous le dira !

— Vraiment ? fit Hérault. Si je compare les styles, pourtant…

Il ouvrit un exemplaire des *Lettres philosophiques* reçu de Londres.

Pour l'Académie française, quel service ne rendrait-elle pas aux lettres, à la langue et à la nation, si elle faisait imprimer les bons ouvrages du siècle de Louis XIV, épurés de toutes les fautes de langage qui s'y sont glissées ? Corneille et Molière en sont pleins, La Fontaine en fourmille.

Celles qu'on ne pourrait pas corriger seraient au moins marquées.

— Hum, fit René Hérault. Vous voulez corriger Corneille, Molière et La Fontaine.

Il sortit d'un tiroir un second exemplaire du *Tabouret de Bassora*, qu'il s'était procuré Dieu sait comment.

La sultane défit un à un les voiles qui la couvraient. Sans honte, un sourire sur ses lèvres pulpeuses, elle s'étendit sur la peau de chameau, ses jambes nues frôlant les babouches du cheikh Akim, déjà tremblant d'émotion.

— Vous m'accorderez que la ressemblance des styles est frappante, conclut l'expert.

Voltaire s'étouffa, sa figure vira au carmin entre les rouleaux poudrés de sa perruque.

— Je vais vous faire plaisir, reprit le policier. Je rabaisse mes prétentions. Je voulais un assassin, je me contenterai d'un auteur. Si vous n'êtes pas celui du *Tabouret de Bassora*, livrez-le-moi, je tâcherai de priver la justice royale d'un autodafé sur votre personne.

Il lui remit un document qui, assura-t-il, l'aiderait à réunir des preuves. Voltaire lui demanda pourquoi il ne s'en chargeait pas lui-même, plutôt que de désespérer le bon peuple.

— Parce que, répondit Hérault, je dois traquer les vendeurs de faux tabac, contrôler la propreté des nourrices, vérifier les poireaux sur les marchés et *aussi* désespérer le bon peuple. Par quel miracle croyez-vous pouvoir déambuler dans Paris sans être empuanti par l'ordure, assommé par la canaille, englouti par les immondices, harcelé par les raccrocheuses ?

Voltaire en déduisit que ce miracle tenait donc aussi un peu à son action à lui ; pourtant, personne ne s'avisait de l'appeler « monseigneur ».

S'il ne s'agissait que de prononcer un nom, il en avait un qui lui brûlait les lèvres. Il se pencha sur le bureau et chuchota :

— Je suis sûr que ce *Tabouret de Bassora* est l'œuvre de Crébillon fils. Cet homme s'est fait une spécialité d'écrire des contes orientaux dégoûtants. Arrêtez-le.

— Le fils Crébillon est protégé par la cour, dit Hérault. Et vous, par qui êtes-vous protégé, Arouet ?

Voltaire se redressa, très ému.

— Par l'admiration universelle !

— Dans ce cas, demandez-lui d'écrire au roi en votre faveur, lui conseilla le lieutenant de police.

Il se leva et alla ouvrir la porte d'un pas dont la lenteur donnait toujours l'impression qu'il suivait un corbillard.

CHAPITRE TREIZIÈME

Comment un brave charcutier découvrit
qu'il existait des scribouillards malhonnêtes.

Le papier que Hérault avait remis à Voltaire contenait une dénonciation anonyme. Habitué à être dénoncé, l'écrivain fut presque vexé de n'être pas la personne visée. L'aimable sujet de Sa Majesté qui avait rédigé ces lignes venimeuses avait identifié le fauteur de troubles qui gâtait les nuits du lieutenant de police et celles d'un philosophe.

L'auteur du pamphlet que Vos Seigneuries
recherchent demeure dans une maison à côté de
la Comédie. Il est âgé d'environ vingt-deux ans,
ne porte pas l'épée, a un habit noir et une perruque
nouée blonde. On le dit homme de lettres.

Un honnête et respectueux serviteur de Sa Majesté

— Avec ça ! dit Voltaire.

Les bonnes intentions n'étaient pas tout, on aurait pu préciser davantage. C'était ce qu'avaient pensé les collaborateurs de René Hérault. Le document portait plusieurs mentions. Assortie d'un coup de tampon, la première disait : « À classer. » Au vu des récents événements, le lieutenant général avait ajouté : « À étudier. » En toute logique, il aurait dû en inscrire une troisième : « À refiler à Voltaire. »

La victime par ricochet de ce vilain mouchardage ne se voyait guère aller guetter, dans les parages de la Comédie, tous les hommes paraissant vingt-deux ans, vêtus de noir et coiffés d'une perruque blonde. C'était une occasion à vous faire une affreuse réputation. Le reproche de cultiver des mœurs socratiques, ultramontaines, antiphysiques, pour tout dire sodomitiques, était à peu près le seul dont ses ennemis ne l'accablaient pas ; il n'avait guère envie de leur en suggérer l'idée.

Émilie avait profité d'un instant d'inattention de son écrivain favori pour s'enfuir à la cour. Quant à Linant, il était allé dépenser les piécettes que son protecteur lui octroyait avec une parcimonie déjà trop généreuse. L'enquêteur était donc réduit à accomplir la corvée en personne. On allait voir de quoi était capable un cerveau exercé par une profonde réflexion intellectuelle quand il daignait s'abaisser à des tâches triviales.

L'absence d'épée, privilège nobiliaire, situait le suspect dans la classe laborieuse. L'habit noir évoquait l'employé ; la perruque blonde, le jeune homme qui se targue de suivre la mode ; tout cela sentait sa bonne bourgeoisie, celle qui se confondait avec la petite noblesse. L'âge rendait plausible le manque d'argent. L'écriture supposait des prétentions. On cherchait donc un écervelé sans fortune, pourvu d'une bonne éducation, décidé à se lancer, en dépit d'une profession alimentaire peu attrayante. Le portrait se dessinait.

Sans doute faisait-il son apprentissage dans une étude – là où l'on pouvait s'élever dignement, quelque chose que ne salissait pas un joli nom : la finance, le commerce en gros ou, à la rigueur, l'officine notariale. On rencontrait des gens très bien, chez les clercs de procureurs : lui-même avait été contraint de se former chez un magistrat pendant six mois qui lui avaient paru à peine plus pénibles que son premier séjour à la Bastille.

Il s'en fut rôder sur la rive gauche, rue des Fossés-Saint-Germain, aux alentours du Théâtre-Français. Il fallait d'abord définir en quel lieu ce garnement pouvait loger. Ce n'était pas un quartier de finance. La proximité du parlement de justice en faisait une bonne adresse pour les avocats, avoués et autres gens de lois. Voltaire repéra, dans ces parages, trois boutiques où un littérateur de bonne famille englué dans un sinistre cabinet de droit ne pouvait manquer d'ouvrir un compte : le papetier, le marchand de vin et le perruquier. Le premier était nécessaire à l'écrivain, le deuxième aussi, et le troisième au blondinet coquet et ambitieux. Bien sûr, s'il fût entré en disant « donnez-moi l'adresse de tous les galopins à perruque qui ont une ardoise », on l'eût renvoyé à la chaussée avec des mots cuisants. Tandis qu'il existait des manières plus policées qui vous valaient toujours la sympathie des commerçants.

Voltaire pénétra dans l'échoppe de fournitures pour écritoires et se dirigea vers un comptoir où le patron l'attendait, sourire aux lèvres. Il déclara d'emblée qu'il ne venait rien acheter (le sourire s'évanouit) : il était l'oncle d'un jeune monsieur de bonne naissance dont il venait honorer la dette (le sourire renaquit).

On le reçut quasiment à bras ouverts, ce fut tout juste si on ne lui offrit pas un petit verre d'alcool de prune. Tous les boutiquiers de Paris souffraient d'impayés qu'ils avaient grand mal à faire acquitter par ces messieurs de la noblesse qui se piquaient d'écrire. Cependant, il convenait de bien viser : l'enquêteur ne souhaitait pas régler la note du fils du duc de la Rochefoucauld ou de celui du marquis d'Argenson, cela eût fait monter sa recherche à un tarif prohibitif et ce n'était pas dans ce milieu-là qu'il cherchait.

— Mon neveu est ce jeune homme qui travaille chez maître... vous voyez, là-bas, fit-il en désignant Paris.

La discrétion l'empêchait de prononcer le nom du mauvais payeur : ce n'était pas une gloire pour les familles.

— Vous comprenez..., conclut-il avec ce clin d'œil de hibou récemment appris qu'il ne maîtrisait pas encore.

Pourvu qu'il payât, on comprenait, on approuvait, on compatissait, et on s'empressait de glisser sous ses yeux le livre exhaustif des factures à recouvrer.

C'était là une lecture plus indiscrète que ces romans libertins qui se vendaient si cher. On en apprenait de belles sur les habitants de la rue des Fossés-Saint-Germain. M. de Moncrif, par exemple, consommait des quantités d'encre extravagantes. Voltaire en déduisit qu'il leur préparait encore l'un de ses traités aussi épais que subversifs. Il se demanda si la police prenait la peine de s'informer auprès des marchands de plumes.

Il mémorisa les noms des jeunes gens, déclara que son neveu n'était pas parmi eux, que la tante Zelda avait dû renflouer le scélérat en cachette, et se retira avec une salutation polie.

Le livre du marchand de vin lui apprit que le juge Vinteuil, austère et inflexible, buvait comme un trou. Il nota ce détail en prévision d'un éventuel procès : il faudrait faire inscrire l'audience au lendemain de l'arrivée du nouveau cru.

Le grimoire du perruquier lui révéla que le secrétaire d'État au commerce se panachait comme un paon pour deux cents livres l'an, et qu'il avait des retards de paiement ; soit il attendait un héritage, soit il était à vendre. On en tira d'utiles conclusions pour certaines affaires de paille et de grain qui piétinaient un peu.

Un seul nom était cité dans les trois cahiers : il tenait là un bon candidat à la réprimande voltairienne.

— Ah ! Voilà mon sacripant ! s'écria-t-il sur le ton d'un oncle désespéré par les fantaisies capillaires d'une jeunesse insouciante.

Le mot sacripant lui était venu devant le montant des poudres et fausses mèches inscrit en bas de la colonne avec l'adresse de livraison. Il ne manqua pas de négocier un rabais, au nom des familles jetées dans l'ornière par des fils prodigues, et ce qu'il versa lui arracha encore des soupirs d'agonie.

Le très chevelu et très richement poudré Claude Godard d'Aucour logeait chez le procureur[1] de la rue voisine. Il y apprenait à faire condamner les gens, à percevoir des honoraires pour des lettres qui prenaient trois minutes à écrire, bref, à se rendre utile à la société.

Voltaire n'avait pas besoin de le connaître pour voir en lui un brave garçon qui dépensait en jolies toilettes les sommes allouées pour son entretien, comme tous les jeunes gens qui ont la sagesse de ne pas laisser les bons principes éteindre leur joie de vivre. Il se remémora combien de fois, au même âge, il avait fait tourner son père en bourrique, lorsqu'il préférait composer des poèmes scandaleux, railler les grands, hanter les théâtres et courtiser les actrices, plutôt que de copier des actes d'une désespérante platitude. Le héraut de la liberté pointait déjà, à cette époque, sous l'étudiant affamé de poésie. La censure du Régent ne s'y était pas trompée, c'était une institution qui savait reconnaître un écrivain d'avenir et ne perdait pas de temps pour lui faire découvrir les geôles royales.

Aussi plaisante cette évocation fût-elle, la facture salée qu'il avait dû payer et la perspective de finir au cachot pour les écrits d'un autre le poussèrent à terminer cette affaire. Un accessoire lui manquait. Il entra chez le premier traiteur venu et fit l'achat de

---

1. Aussi bien un avocat qu'un notaire. Le procureur avait procuration pour représenter son client dans ses affaires.

saucisses de Montbéliard qu'on lui remit dans un petit panier en osier.

Mᵉ Martignac abritait ses deux clercs dans son logis où était aussi son étude. C'était un arrangement parfait pour les parents des apprentis, assommés de travail durant la journée et chambrés durant la nuit. On pouvait se demander comment ils trouvaient le moyen de s'adonner à la rédaction de textes odieux. Cette jeunesse débordait d'inventivité. Il allait rencontrer un petit Voltaire.

Il pria la servante d'informer M. Godard d'Aucour que son oncle de Franche-Comté lui apportait une gourmandise du pays, souleva le panier et montra les saucisses, qui valaient passeport. C'était le Petit Chaperon rouge en perruque Régence.

On le fit patienter un moment dans le vestibule, où un jeune homme le rejoignit bientôt. Il portait l'habit noir, la perruque blonde et point l'épée, ce dont Voltaire se félicita, vu ce qu'il avait à lui dire.

— Monsieur ? dit d'Aucour, étonné. Je n'ai pas l'honneur…

Voltaire lui flanqua le panier dans les mains.

— Mon cher neveu, comme tu as maigri ! s'écria-t-il en l'embrassant.

Il ajouta, avec un regard suspicieux pour la servante :

— On te nourrit bien, ici ? Je t'ai apporté de quoi te soutenir !

Puis il l'entraîna vers l'escalier et ajouta tout bas : « Nous avons à causer tabourets. »

Le clerc l'emmena discuter à l'écart, ce qui confirma que la piste était bonne. Ils grimpèrent jusqu'à sa chambre sous les toits. Il fallut en chasser le second employé. « Un complice, sans doute », se dit Voltaire. Il était impossible d'écrire dans cette exiguïté sans que le compère le sût. Peut-être l'autre avait-il même fourni un ou deux pieds au tabouret. Voltaire soupira. Il était tombé sur un nid.

Il remit son présent au neveu dévoyé.

— Vous pouvez garder les saucisses. Je vous redemanderai le panier.

On s'assit où l'on pouvait. À mieux examiner son hôte, le visiteur nota qu'il n'avait pas vingt-deux ans, mais tout au plus dix-sept. Le « bon sujet de Sa Majesté » qui l'avait dénoncé par respect des bonnes mœurs avait la vue basse.

— Vous êtes un petit prodige de la lubricité, dites-moi.

Ce garnement trop vite grandi le contemplait avec un sourire d'une rare effronterie sous sa perruque impeccablement coiffée – on savait à quel prix –, avec ses manchettes de dentelle du dernier cri. C'était bien le personnage à laisser des ardoises chez tous les commerçants du quartier et même chez les autres. Il y avait un je-ne-sais-quoi dans ces yeux bleus, dans ce teint frais, dans cette bonne mine, qui donnait envie de le gifler. L'insolence de la jeunesse, peut-être.

— J'ai un problème avec vous, dit Voltaire. On se sert de votre tabouret pour m'assommer. C'est un meuble fort convoité, dont la lieutenance tient à imaginer qu'il vient de chez moi, et dont il serait bon que vous assumassiez la paternité.

Eût-on nié, il y avait là, autour d'eux, nombre d'ouvrages qui étaient autant de preuves : études sur des pays lointains où le soleil échauffait les sens, lexique des vilains mots qu'on ne devrait pas dire et encore moins écrire, romans prohibés pour servir de modèles, tout y était. C'était une petite bibliothèque faite pour scandaliser les procureurs, contrister les familles et navrer les philosophes.

Contrairement aux craintes du visiteur, le petit audacieux ne fit aucune difficulté pour reconnaître le mal qu'il avait causé.

— Halte-là ! dit Voltaire. Laissez-moi vous démontrer votre faute. J'ai l'impression d'être venu pour rien ! Et puis vous avez tort d'avouer, fussiez-vous pris la plume dans l'encrier. Si vous comptez vous lancer dans les belles lettres, je vous conseillerai de nier avoir jamais rien écrit, y compris sous la torture.

Une seconde fois, d'Aucour avoua, privant Voltaire de sa démonstration. Il était désespérant. Résolu à s'embourber sur le chemin de l'intempérance et de la prose, il expliqua, avec des étoiles dans les yeux, comment il avait fui les académies d'armes et les manèges de cavalerie auxquels l'avaient condamné ses parents. Comme il clamait qu'il voulait vivre de sa plume, on l'avait placé comme gratte-papier. Il s'échappait pour courir au café Procope, où l'on pouvait voir cette race bénie : des écrivains.

Son auditeur ne put se défendre d'un sourire attendri et leva les yeux au ciel. Pour ce qui était de ses lectures, le petit exalté dévorait les romans qui faisaient fureur : ceux de l'abbé Prévost (Voltaire sourit avec bienveillance) et ceux de Crébillon fils

(Voltaire fronça le sourcil). Impatient comme un enfant, d'Aucour voulait être lu, reconnu, fêté dans les salons. Il lui présenta l'ébauche d'un récit intitulé *Mémoires turcs*, en tête duquel il avait déjà inscrit la mention : « Rapportés par un auteur turc, membre de toutes les académies du Bosphore, licencié en droit mahométan et docteur de l'université de Constantinople. » Voltaire supposa une nouvelle et pitoyable séquelle de cet engouement pour les *Mille et Une Nuits*, agrémentée d'une satire des *Lettres persanes*, le tout baignant dans une sauce sirupeuse censée inciter à la volupté.

Il s'apprêtait à remettre à l'heure cette pendule littéraire qui débloquait quand la servante, affolée, annonça que la police était en bas et réclamait le jeune clerc. Celui-ci bondit sur ses pieds.

— Monsieur, vous êtes rapide ! lança-t-il à Voltaire.

L'écrivain était encore plus surpris que lui.

— Monsieur, répondit-il, je vous supplie de croire que je ne suis pour rien dans le malheur qui vous arrive.

Il n'avait eu ni le temps de le dénoncer, ni même celui de prendre une quelconque décision à ce sujet. Son intention était plutôt de l'amener à reconnaître ses fautes et à s'immoler sur l'autel de la philosophie, en jeune auteur talentueux et influençable. Hérault l'avait pris de court, c'était du travail perdu, il s'était dépensé en vain auprès des commerçants et n'en retirait que des saucisses, les plus chères du monde.

Deux exempts et un commissaire surgirent dans la chambrette, qui se trouva bondée.

— Je suis bien l'homme que vous cherchez ! clama le jeune d'Aucour qui, à défaut d'avoir de bonnes mœurs, savait assumer ses responsabilités.

Voltaire remarqua qu'il endossait fort bien la paternité de ses écrits ; il se demanda s'il ne voudrait pas en faire de même pour les publications de certain polémiste, dont la santé fragile était régulièrement menacée par l'inconfort des vieux donjons.

Le commissaire brandit une nouvelle dénonciation qu'il venait de recevoir, plus circonstanciée que la précédente, puisqu'elle indiquait l'adresse du délinquant. Deux archers tenaient au col le second clerc, qu'on avait saisi « alors qu'il s'enfuyait ».

— Je ne m'enfuyais pas ! se défendit le pauvre garçon. J'étais sorti pour laisser mon camarade s'entretenir avec monsieur…

— Son oncle de Montbéliard, dit Voltaire en exhibant les saucisses. Qu'a-t-il encore fait, notre chenapan ?

On l'informa du crime du chenapan, fauteur de grivoiseries en forme de tabouret irakien.

— Oh ! fit Voltaire, avec la mine d'un Franc-comtois très déçu par l'inconduite de son neveu. Tu veux donc tuer ta pauvre mère, lustucru ?

Le scribouillard et son tonton à saucisses quittèrent la pièce afin de laisser les forces de l'ordre et de la morale perquisitionner les étagères à la recherche de manuscrits infâmes. De tabouret, point, mais les *Mémoires turcs* du docteur en droit mahométan suffirent à faire leur bonheur. Le commissaire arrêta les deux clercs, au grand dam de Mᵉ Martignac, inquiet de devoir accomplir lui-même ses fastidieux travaux de copie.

Impressionné par la jeunesse du malfaiteur, peut-être aussi par sa fraîcheur, son costume et sa coiffure impeccable, l'exempt s'excusa d'être contraint d'exécuter des ordres si rudes.

— Ne vous inquiétez pas ! clama le détenu avec la fermeté d'un paléochrétien dans la fosse aux lions. Faites votre devoir ! J'ai toujours su que mon destin était de devenir célèbre ! Je serai reçu partout ! Mme de Tencin m'enverra du sucre et des culottes pour mes étrennes, comme aux autres auteurs importants !

Voltaire était lui-même un auteur important et Mme de Tencin ne lui envoyait rien, hormis de mauvaises pensées. Sans lui laisser le temps de réagir, le futur pensionnaire de la Bastille saisit le panier aux saucisses et l'emporta : cette acquisition était tombée à pic.

On laissa le tonton de Montbéliard remâcher seul, sur le palier, les déceptions de la maturité en butte à un âge sans scrupule. Dans la maisonnée sens dessus dessous, chacun était trop bousculé par l'arrestation des clercs pour songer à lui. Les domestiques avaient hâte de répandre la nouvelle chez les voisins ; quant aux maîtres, la présence sous leur toit d'un livreur de saucisses ressemblant à Voltaire leur avait échappé.

Assis sur l'un des lits, celui-ci commençait à concevoir un doute sur la justesse de ses conclusions. L'empressement de cet idiot à subir son châtiment lui paraissait curieux. Il se demanda si d'Aucour ne s'était pas rendu coupable d'une autre sorte de crime : celui de lèse-Voltaire.

Il tira de sa poche la dénonciation anonyme remise par Hérault et la relut. On y parlait d'un « pamphlet que Vos Seigneuries recherchent », mais le titre de l'ouvrage n'était pas cité, la formule pouvait s'appliquer à n'importe quel livre interdit. À se remémorer leur conversation, il lui vint à l'esprit que d'Aucour n'avait pas prononcé les mots « *Tabouret de Bassora* ». Certes, il savait ce que c'était, mais cela pouvait être pour l'avoir lu, comme nombre de contes salaces dont sa chambre était garnie.

Pris d'une intuition, il vida les tiroirs, dont il sortit des brouillons de lettres à ses parents, où le jeune homme leur réclamait des subsides « pour ses études ». L'écriture était la même que celle de la dénonciation envoyée au Châtelet ! Ce petit menteur épris de notoriété lui avait fait perdre son temps !

— La crapule ! Il s'est fait passer pour un fauteur de subversion alors qu'il n'est qu'« un honnête sujet de Sa Majesté » ! Crapule, crapule, crapule ! répéta Voltaire à voix haute en martelant le bureau avec le feuillet réduit en boule.

On ne savait plus à qui se fier. Cette époque manquait d'éthique. Où irait-on si tout le monde voulait devenir un écrivain à scandale ? Si les jeunes gens de dix-sept ans se montraient dépourvus de remords, malhonnêtes, inventifs dans l'abjection, quelle place lui resterait-il, à lui ?

Un peu revenu de sa colère, il admit que ce garçon montrait un don évident pour une carrière littéraire.

Pour l'heure, Claude Godard d'Aucour séjournait

à la Bastille en raison d'un délit dont il était innocent. Voltaire fut tenté de l'y laisser croupir. Après tout, son crime était pire : il lui avait fait perdre une demi-journée. Certains payaient plus cher pour de moindres outrages.

Il guetta le moment où il n'y eut plus de bruit dans l'escalier et quitta la maison Martignac avec la plus grande discrétion : sans panier ni saucisses, il était à découvert. Il ne tenait pas non plus à subir les reproches du procureur pour la mauvaise éducation de son neveu ; était-ce sa faute, à lui, si cet imbécile avait la rage de se faire enfermer là où les gens sensés ne voulaient pas mettre les pieds ?

Il songea que la plus grande punition d'un menteur était de se voir priver du fruit de son mensonge, leçon apprise à ses dépens. Pour faire chasser ces deux têtes folles de la Bastille, il allait faire courir des rumeurs selon lesquelles *Le Tabouret de Bassora* était d'autres auteurs. Il en connaissait assez qui méritaient plus qu'eux d'être logés aux frais de l'État.

Il restait frappé par la facilité avec laquelle le jeune effronté avait accepté la paternité d'une œuvre controversée. Cela pourrait servir, une fois qu'il aurait un peu mûri. Il nota son nom dans ses tablettes. D'Aucour, à A comme Auteur, Arriviste et Abruti.

CHAPITRE QUATORZIÈME

Comment la marquise du Châtelet
s'en fut au jardin d'Éden
et découvrit qu'on s'y goinfrait de loukoums.

Émilie s'était livrée à une analyse du sixième conte du *Tabouret de Bassora*. Le décor ne lui en était pas inconnu. Elle ne voyait qu'un seul lieu dont les salles de réception ornées de soieries indiennes d'un prix faramineux fussent d'un goût digne de Topkapi : c'était la maison de campagne de leur ami, le duc de Richelieu, près du hameau de Clichy, au-delà du rempart. Elle y avait pris le chocolat à l'heure du thé, un an plus tôt, et en était sortie à l'heure de plus rien. Si elle avait raison, ce havre de repos et de plaisirs feutrés, à l'écart de l'agitation parisienne, risquait de devenir le théâtre d'un meurtre.

Trois ans plus tôt, Armand de Richelieu avait fait édifier ce qu'on nommait alors une « folie », un pavillon d'agrément, en bas de la rue du Coq[1]. Outre

---

1. Actuellement rue de Clichy, numéros 16 à 38. La folie Richelieu fut démolie au XIXe siècle.

les communs, il s'agissait d'un gros kiosque isolé au milieu d'un parc touffu, sur un domaine dont les jardins s'étendaient jusqu'à la rue des Portes-Blanches.

Prudente comme une souris, Émilie prit ses renseignements. On lui affirma qu'on y donnait des repas en costume adamique. Elle s'inscrivit donc pour les soupers adamiques, quoiqu'elle se demandât quel genre de saucisse régionale on servait là. Eût-elle connu le genre de la saucisse, elle se fût abstenue d'y toucher.

Ayant rejoint les autres invitées, qui attendaient dans un salon séparé, elle s'étonna qu'on ne fût pas en grande toilette. Les coiffures, les bijoux, le rouge étaient de sortie ; les belles robes, non.

Quand on fut au complet, les dames commencèrent à se dévêtir. Émilie les imita avec lenteur, en se demandant si les costumes adamiques allaient bientôt arriver. Elle se retrouva en jupons au milieu de femmes qui n'avaient plus pour ornement que leur coiffure poudrée où se mêlaient perles et aigrettes.

Il fallut choisir entre la honte et le ridicule. Elle dénoua ses cheveux qui, une fois défrisés tant bien que mal, tombaient sur sa poitrine. C'était sainte Agnès exhibée devant la foule de Rome, dont la pudeur fut sauvée par la pousse miraculeuse de sa tignasse.

On retrouva les messieurs dans la salle à manger somptueusement meublée à la mode asiatique, éclairée par des girandoles de cristal. Le mot « adamique » prit alors tout son sens, les dames étant plutôt en costume « évique ».

— Mais…, fit la marquise. Les valets vont nous voir…

Elle espéra qu'on avait engagé des aveugles. En réalité, on ne laissait entrer qu'un vieux serviteur de la maison, qui en avait vu d'autres et dont la discrétion était à toute épreuve. Quant au reste des domestiques, ils déposaient les plats dans l'antichambre.

La tablée offrait un coup d'œil surprenant. Les dîneurs étaient nus, mais parfaitement coiffés, poudrés, avec colliers et bagues clinquants. Il restait une chaise vide en bout de table. Un convive manquait, celui qui avait été chargé d'apporter des loukoums à la rose pour achever de donner à la soirée un tour exotique.

— Tant pis pour lui ! déclara Richelieu. Nous lui donnerons un gage quand il arrivera !

Émilie préféra ne pas s'interroger sur la nature du gage.

Au demeurant, le souper débuta sur un ton bon enfant. Elle était au milieu de ce qu'on appelait des « petits-maîtres », sorte d'oisifs étourdis, galants et indolents. On parla équipages, bal de l'Opéra, champagne, porcelaines, académies de jeu, figures de danse, nouvelle cuisine, romans nouveaux, nouvelle philosophie. La marquise plaignit la nouvelle philosophie. Son voisin de droite, un homme dont elle put voir qu'il était bien fait dans toute son anatomie, se tourna vers elle.

— On prétend, madame, que vous auriez fait entrer dans Paris les *Lettres philosophiques* de votre ami Voltaire en les cachant sous vos jupes.

Émilie n'était pas encore remise de l'évocation de ses jupes quand celui de gauche s'écria :

— La littérature serait bien en danger s'il fallait réitérer ce soir !

La remarque fit bien rire. Les convives lancèrent un concours à qui oserait transporter les *Lettres philosophiques* de la façon la plus sûre pour les lecteurs et la plus offensante pour la décence. Émilie eût volontiers noyé son désarroi dans son vin pétillant si elle n'eût craint que l'ébriété ne lui fît perdre la tête.

Le plus grand plaisir de ces messieurs était de faire des niches aux dames pour les forcer à se lever. Quoique son œil rogue la protégeât un peu, la marquise se demandait comment elle allait se tirer de ce faux pas. Elle avait certes accordé ses faveurs à leur hôte quelque temps auparavant, sans parler des récréations concédées aux penseurs qui éclairaient l'humanité, mais elle réservait ce qui lui restait de nouveauté à certain mathématicien qui avait du génie et pas de coliques.

Le duc avait rapporté de Londres ce qu'on appelait là-bas des « *riding coats* » et à Paris des redingotes d'Angleterre, sortes de baudruches molles en cæcum de bœuf ou de mouton, qui n'ajoutaient rien au plaisir mais contrecarraient la fatalité de la grossesse ou des maladies de Vénus. Un monsieur se pencha vers sa commensale et déclara très haut :

— Le duc, ma chère, est le plus grand gamahucheur du royaume.

Émilie ignorait ce qu'était un gamahucheur, mais, pour avoir essayé le duc, en un temps où elle ne se gardait pas encore pour les réformateurs de la pensée objective, elle crut deviner de quoi il s'agissait. La générosité de monseigneur entre les draps avait beaucoup fait pour sa réputation – outre le fait que sa conversation était charmante et qu'il était riche comme l'arrière-petit-neveu de Crésus.

Un jeune fat prétendit que son Jean-Chouart était impatient de foutrailler. Un autre se proposa pour être le guerluchon de la marquise, qui n'y entendit goutte.

— Et vous, madame, dit la jeune personne assise en face d'elle, préférez-vous l'hercule, la levrette ou la paresseuse ?

Elle eût surtout préféré être ailleurs, loin de ce *glossarium eroticum* qui lui échappait. C'était le parler des bordels qu'on lui servait là. Le moment était venu de les orienter vers quelque chose de moins outrancier et de plus utile : *Le Tabouret de Bassora* était, assura-t-elle, le livre de chevet de son ami Voltaire, homme de goût s'il en est. Le duc en possédait justement un exemplaire dans sa bibliothèque. Il fut le chercher, ce qui leur donna l'occasion d'apercevoir les deux faces de la lune quand il quitta la pièce, le bâton ducal d'un pair de France quand il y rentra.

Sur le conseil de la marquise, on se donna lecture du sixième conte. Tous ceux qui n'étaient pas encore trop éméchés ou dont l'attention n'était pas obnubilée par la poitrine de leur vis-à-vis remarquèrent la parenté entre le décor décrit et celui de ce salon : mêmes soieries, mêmes damas. Sur les panneaux peints, les couples enlacés à la façon des miniatures persanes semblaient avoir été tracés d'après le récit.

— Cher ami, on jurerait que l'auteur a vu votre maison, dit quelqu'un.

— C'est bien possible, je ne reçois que des personnes d'une grande élévation morale.

Les convives éclatèrent de rire. Maints hauts personnages, voire des académiciens, s'étaient assis là, pour des soirées certes plus classiques, car le costume adamique ne seyait pas à tout le monde.

L'ambiance se réchauffa comme si le diable eût ajouté quelques bûches dans sa fournaise et actionné son grand soufflet. Les messieurs devenaient pressants. Émilie avait beau donner de la cuiller à soupe sur les doigts indiscrets de son voisin de droite, elle commençait à être attaquée par son voisin de gauche, qui confondait sa cuisse avec de la pâte à pétrir. Il lui sembla prudent de s'esquiver. Elle ne craignait pas le duc – il s'intéressait peu à ce qu'il connaissait déjà – mais il y avait là deux ou trois énergumènes qui montraient de l'appétit pour les grandes brunes rougissantes. À la première occasion, elle s'esquiva dans une pièce attenante afin de souffler un peu. Elle avait mal choisi : il y avait là un grand lit à baldaquin qui était une invitation à la luxure. L'un de ses soupirants l'y rejoignit et, se croyant autorisé à toutes les audaces, l'entraîna vers la couche, dont il ouvrit le rideau de sa main libre.

Quelqu'un était déjà allongé.

— Ah ! Mais c'est Chouchou ! Eh bien, il est venu, finalement !

Le convive manquant avait, semble-t-il, espionné le souper depuis sa cachette ; c'était le vice dans le vice.

— Lève-toi, paresseux ! lui lança le dîneur en tenue d'Adam.

Il pinça le voyeur au bras sans le faire frémir davantage qu'une pierre. Sa main était froide et lourde.

— Oh, mon Dieu, murmura le libertin en se cachant d'une main les parties intimes, la pudeur lui étant brutalement revenue.

Il rouvrit la porte de la chambre, appela, et tout le monde vint voir le corps, qui gisait dans les loukoums répandus sur le drap.

— Ah, mais si, dit une dame : il a apporté le dessert, en fin de compte.

Un invité indisposa la compagnie par un signe de croix : son impiété n'était pas si ferme qu'on avait cru. Le duc se promit de l'envoyer passer ses soirées à l'évêché, où il verrait bien si l'on s'y amusait autant qu'ici.

Les yeux de Richelieu se posèrent sur Mme du Châtelet, qui examinait le cadavre du défunt – le seul homme qui fût vêtu – avec un intérêt d'entomologiste. Il leur fallait le conseil d'un expert en atrocités, en abjection, en fourberies innommables. Il ordonna à son meilleur cavalier de lui ramener Voltaire au plus vite. Pour franchir la barrière, il n'aurait qu'à exhiber le cordon du Saint-Esprit de son maître. Les gardes étaient toujours très respectueux de cet emblème – moins, peut-être, s'il leur avait été présenté par son propriétaire dans la tenue où il était à ce moment-là.

En attendant, pour se soutenir, on retourna siroter les alcools et grignoter les entremets. Puisque la fête était gâchée, certains se rhabillèrent à moitié. Faute d'autres plaisirs, on fit un sort à la crème à la sultane parfumée au citron vert et semée de fleurs d'oranger pralinées, comme à la mousse de safran, au sucre candi à la jonquille, et aux pommes en farbalat[1].

Quand leur sauveur fut annoncé, les dames se retirèrent pour ne pas troubler le docteur ès déductions. On ne pouvait cependant se tromper sur la nature du souper. Voltaire ne put réprimer une exclamation.

— Monseigneur ! Qu'aurait dit le cardinal !

Richelieu n'avait pas besoin du nouveau venu pour apprendre l'opinion de l'Église, ce n'était pas dans ce domaine que son avis était sollicité.

— Vous, un homme posé, instruit, qui avez l'habitude de vous pencher sur la folie des hommes, vous allez nous arranger cela, n'est-ce pas ?

L'exégète des passions humaines accepta de s'intéresser à l'objet de leur embarras, principalement parce qu'il avait prêté une petite fortune à monseigneur et qu'il espérait lui en prêter une grosse, à cinq pour cent, dans un proche avenir.

On lui présenta un cadavre à la face bleuâtre, aux yeux ouverts et injectés de sang, à la bouche béante, aux membres déjà raides. Voltaire vit quelque chose de rose dans la bouche du défunt. Il en retira un loukoum.

— Il s'est étouffé avec ses friandises ! dit un invité.

— Je crois plutôt qu'elles ont servi à l'empêcher de crier, précisa Voltaire.

Le lit était habillé d'un tissu à motif du Cachemire. La curieuse cravate autour de ce cou flasque était l'un des cordons à rideaux. Sous la tresse de soie, la peau

---

1. Pommes cuites au sirop en pâte feuilletée.

était meurtrie et striée. La victime avait connu une fin rapide, sans appel, pour ainsi dire orientale, dans la soie, la gelée à la rose et le sucre glace.

Comme la rigidité mettait un moment à s'installer – Voltaire commençait à avoir une certaine habitude des cadavres –, on pouvait en déduire que le meurtre avait été commis avant l'arrivée des autres convives. La compagnie avait certes dîné à proximité d'une dépouille inerte, mais au moins le méfait n'avait-il pas été perpétré tandis qu'ils sablaient le champagne, qu'ils récitaient des poèmes orduriers et chatouillaient les dames.

Voltaire se tourna vers le vieux serviteur qui tenait le candélabre.

— Dites-moi, mon ami, quand cet homme est-il arrivé ?

Il s'était présenté le premier. On l'avait fait entrer et on l'avait prié de bien vouloir patienter. Ne le voyant plus, on l'avait cru parti.

Le duc confirma que le chevalier de Seraincourt était un habitué de ces réceptions où, après avoir déposé ses vêtements et sa pudeur dans le boudoir, on entrait vêtu de ses seuls quartiers de noblesse. Il posa une main sur l'épaule de Voltaire.

— Mon cher, vous qui fréquentez des milieux interlopes, vous savez sûrement comment on se défait d'une telle importunité ?

À moins de creuser une fosse au fond du parc, le philosophe n'en avait aucune idée. En revanche, il eût volontiers demandé qui faisait courir le bruit qu'il fréquentait des milieux interlopes.

Le vieux valet revint parler à l'oreille de son maître. La figure de Richelieu s'assombrit.

— Mes amis, un nouveau contretemps.

La police, prévenue on ne savait comment, était à la porte de devant. Heureusement, la formule suggérait l'existence d'une porte de derrière.

— On ne s'ennuie jamais, chez vous ! s'écria l'un des convives avant de se diriger comme les autres vers le boudoir où ils avaient laissé leurs effets.

La lieutenance se montrait plus patiente sur le seuil d'un pair de France que sur celui d'un simple particulier : elle attendait qu'on voulût bien lui ouvrir. Aussi aimable qu'elle fût, on allait devoir obtempérer. Et puis, monseigneur ne savait que faire du cadavre qui encombrait son lit indien. Le commissaire tombait à pic, même si un délai d'une heure pour faire le ménage eût été apprécié. Richelieu en serait quitte pour expliquer au roi, à son petit lever, pour quelle raison on ramassait des étranglés dans ses chambres à coucher, et tâcherait de lui conter la chose de manière plaisante.

Pas question, en revanche, de présenter à ces messieurs de la force une réunion d'hommes et de femmes qui n'étaient pas tous dégrisés. Bien que certains eussent considéré la rencontre avec les exempts comme l'une des surprises du souper, le duc n'avait guère envie de se lancer dans les présentations. Les dames n'y tenaient pas non plus : une réputation était vite hasardée, on était trop souvent jugée sur des quiproquos.

Quitte à faire piétiner la police, on prit le temps de remercier monseigneur pour une soirée qui resterait dans les mémoires.

— Mon cher, après les soupers adamiques, vous inventez les soupers cadavériques !

On se pressa à la queue leu leu à travers les bosquets, derrière le vieux valet à la chandelle, jusqu'à la porte du fond, qui ouvrait sur une allée privée. Une fois tout le monde dehors, le valet agita sa bougie pour indiquer aux domestiques, à l'autre bout du domaine, que la police pouvait entrer.

Le duc de Richelieu mettait la dernière main à sa tenue, qu'il agrémenta du fameux cordon du Saint-Esprit ; ces emblèmes étaient d'une grande utilité dans les petits travers de la vie mondaine.

— Allons voir maintenant par quel miracle le Châtelet se tient au fait de ce qui advient chez moi, dit-il en se dirigeant vers le vestibule.

Les fuyards de la rue des Portes-Blanches auraient volontiers pris des voitures, mais il ne s'en trouvait point. Le petit groupe décida de finir la nuit chez celui d'entre eux qui logeait le plus près. Il n'y avait que deux rues à franchir, ils se serrèrent derrière la lanterne que leur avait abandonnée le valet.

Malgré tous les efforts que fit Émilie pour se dissimuler parmi les autres dames, Voltaire reconnut sa haute silhouette sous la lune.

— Mme Duch ?

— Chut donc ! le coupa la marquise.

Les seuls mots qui vinrent à l'écrivain furent ceux du héros d'une de ses tragédies, qui périssait trahi par son amante :

— « Et soudain, dans son cœur, il sentit le poignard que cette main félonne enfonçait avec art », récita-t-il, le poing posé sur une poitrine où rien ne battrait jamais plus, se retenant de l'autre au mur.

— Je vous parlerai demain ! lui lança Émilie en s'éloignant avec ses compagnons.

— Venez dans trois jours ! Pour mon enterrement !

C'était, s'il en fut jamais, une raison suffisante pour tomber malade et succomber dans un râle qui s'entendrait jusqu'à l'Académie française.

CHAPITRE QUINZIÈME

*Où l'on voit un saint au salon
et le diable en cuisine.*

Tout mourant qu'il fût, tout fâché, tout meurtri, au bout du deuxième jour d'agonie au fond de son lit, Voltaire eût volontiers reçu une ultime visite de son égérie, afin d'expirer dans ses bras après lui avoir accordé son pardon. Peu soucieuse de s'infliger une explication pénible, Émilie se garda bien de se montrer. Lui s'abstint de la poursuivre – comment l'eût-il fait, ses jambes ne le portaient plus – et continua de décliner dans le silence et dans l'ingratitude des femmes, si bien qu'il se voyait le plus puni des deux.

Au troisième jour, une espèce d'instinct de survie lui permit d'ingurgiter un peu de bouillon clair auquel il attribua un léger mieux. Il prévoyait que la faiblesse presque animale qu'il éprouvait pour la marquise l'obligerait à lui pardonner ses écarts ; partant, il fallait mettre un terme à cette spirale de la débauche dans laquelle elle s'était jetée, sans doute par suite de mauvaises fréquentations. En un mot, il importait de la diriger vers l'étude et la science pour la préserver du plaisir et de l'insouciance : la santé d'un philosophe était à ce prix, la victoire de la pensée sur l'intolérance passait par là.

Puisqu'elle avait un penchant pour le calcul et la physique, il allait lui trouver un professeur qui l'encouragerait à persister dans toutes ces choses compliquées, quelqu'un de sérieux, de compétent, voire d'ennuyeux. Un académicien eût été parfait.

Il venait justement de recevoir l'hommage d'un livre que Maupertuis avait publié sans nom d'auteur, ce qui était un gage de qualité. Cet homme lui plaisait beaucoup : il savait reconnaître les grands esprits à qui il convenait de soumettre ses œuvres. Le 10 septembre, il lui écrivit pour lui recommander la chère écervelée.

Tandis que Voltaire prévoyait de faire son propre bonheur, celui de la marquise et, peut-être, celui du savant, Stanislas Leszczynski avait enfin atteint sa Pologne natale. Il avait traversé secrètement divers États allemands, déguisé en commis, affublé d'une grosse perruque de bourgeois, les poches pleines de factures en langue teutonne pour le cas où les douaniers lui eussent demandé de prouver son métier. Arrivé de nuit à Varsovie, il s'était caché dans une chambre de l'ambassade de France et n'en était sorti que pour apparaître dans la cathédrale, à l'heure de la messe, comme un ange tombé du ciel. Surpris et émerveillés, ses compatriotes l'avaient acclamé. La diète l'avait élu roi de Pologne, grand-duc de Lituanie, sans se demander comment elle allait arrêter l'armée russe qui marchait sur la capitale pour y installer le candidat saxon.

Voyant ses espoirs soumis aux incertitudes politiques de l'Europe centrale, Voltaire estima opportun de ressusciter. Il n'était pas temps de mourir, il était temps de débrouiller cette triste affaire de strangulation et de cordons à rideaux.

Chez les Seraincourt, on se préparait à enterrer le défunt en grande pompe pour faire oublier les circonstances du décès. Voltaire sauta du lit. C'était le bon moment pour une promenade de santé chez plus malheureux que soi.

— Une visite mortuaire ? s'inquiéta Céran. Mais… Dois-je rappeler à monsieur qu'il est au plus mal ?

— Justement : entre défunts, on se comprend.

Il allait présenter ses respects à une honorable famille durement frappée par le sort, il lui fallait des vêtements de circonstance.

Sa tenue de deuil ne comportait qu'une cocarde en crêpe noir piquée sur le tricorne, ce qui ne lui assurait pas l'incognito. Il emprunta à Linant son costume d'abbé, un pourpoint noir à col plat. Il eût été plus commode d'y envoyer Linant lui-même, mais son protecteur n'avait pas envie d'aller le chercher le lendemain dans les placards des Seraincourt.

Une fois les manches, la taille et la culotte raccourcies par des épingles, il se posta devant le trumeau de la cheminée et peaufina son expression pour la rendre moins hilare, plus propre à débiter des condoléances. Avec un chapeau rond bien triste, il était méconnaissable : nul n'aurait imaginé voir l'auteur des *Lettres philosophiques* sous le couvre-chef d'un ecclésiastique.

L'hôtel de Seraincourt avait pris le grand deuil aristocratique. Le porche, les miroirs et les fenêtres étaient drapés de larges voiles sombres. À son arrivée, on plaça l'abbé Voltaire dans la file de ceux qui attendaient pour rencontrer la famille. Dès qu'il vit qu'on ne le surveillait pas, il s'en échappa pour aller fouiner dans les salons.

Des hommes d'épée et des dames dont la tristesse semblait faire partie du maquillage se recueillaient autour du cercueil. Les poitrines peu couvertes se soulevaient au rythme de sanglots qui les mettaient aussi sûrement en valeur qu'une pyramide de pommes sur un plateau d'argent.

— Quelle fin, dit Voltaire.

— Certes, oui, dit une dame entre deux soupirs. Mourir d'un accident de cheval, quand on possède trois carrosses !

— Un accident de cheval ?

Alors que Seraincourt chevauchait du côté de la rue du Coq, un poulet qui fuyait l'échoppe d'un volailler avait surgi devant sa monture. Celle-ci, effrayée par le poulet, avait glissé sur une motte de terre créée par le creusement d'une tranchée. Le cavalier avait chu de sa selle, les rênes s'étaient resserrées autour de son cou et il était mort pendu, détail particulièrement déplorable[1]. On appelait cela un « tragique accident de la voirie ».

---

1. Les nobles avaient le privilège d'être exécutés à la hache, seuls les roturiers étaient pendus, mort infamante.

— Et pourtant si courant ! renchérit l'abbé maigrelet.

Il était toujours frappé de voir que le public avait plus d'imagination que lui. C'était là une péripétie qu'il n'eût pas osé mettre dans *Zaïre*, le parterre l'eût sifflée. Il constata que la lieutenance s'entendait toujours à camoufler l'assassinat des nobles. Elle s'était mise d'accord avec les parents, tout en leur promettant sans doute que le « poulet » ne l'emporterait pas en paradis. Sans doute verrait-on en Voltaire un parfait marchand de volailles, dès qu'on aurait trouvé de quoi incriminer sa sautillante personne.

Dans le salon suivant, les gens de bien faisaient l'éloge du chevalier pendu, élevé au rang de saint. Ce panégyrique n'étant d'aucune utilité, Voltaire se rabattit sur les communs. Les domestiques avaient rarement beaucoup d'indulgence pour leurs maîtres, la médisance était un loisir fort répandu, à l'entresol aussi bien que sous les lambris.

Il fut fort surpris d'y trouver une jeune servante qui pleurait dans son coin, sur une chaise de paille. C'était une blonde bien en chair qui fleurait bon sa campagne et le lait de brebis.

— Allons, mon enfant, dit-il en lui tapotant le dos, cela passera.

Elle gémissait, ce n'était pas un témoin plaisant. Il s'apprêtait à la lâcher quand elle déclara entre ses larmes que « monsieur le chevalier » était toute sa vie. La compassion le força à rester. Il avança une seconde chaise et se dévoua pour offrir à la malheureuse le secours d'une oreille attentive et désintéressée.

— Voulez-vous vous confesser ? Cela vous fera du bien, dit-il de la même voix sirupeuse que ses maîtres jésuites, du temps de Louis-le-Grand, quand ils incitaient leurs élèves à dénoncer ceux qui avaient pissé dans les bénitiers de la chapelle.

Elle gardait du défunt un souvenir plein de nostalgie. Comme il allait faire son bonheur, elle lui avait tout accordé ; il avait accepté de s'occuper de l'enfant à naître, et il l'eût fait, assurément, si un fâcheux accident n'était survenu alors qu'il l'avait emmenée sur des routes non pavées, dans une carriole mal suspendue, leur première sortie en amoureux.

L'auréole du chevalier sanctifié à l'étage pâlissait beaucoup à l'entresol. Voltaire esquissa un vague signe de croix sous le nez de la pauvrette.

— *In nomine Socratis, te absolvo.*

Elle le quitta en se demandant si l'archange Socratis était du même ordre que saint Michel et Gabriel.

La servante expédiée, le curé offrit ses services à la cuisinière, qui avait elle aussi un retard de confession. Trop âgée pour avoir subi les assiduités du cher disparu, la brave femme dressa de lui un portrait encore moins flatteur. Il apparut que le héros du jour était la honte de la famille, qu'il était de tous les coups pendables et profitait des avantages de sa naissance pour s'en sortir la tête haute. Non seulement son libertinage était un fait connu, mais il avait commis quelques abus qui eussent conduit un autre devant les tribunaux.

Le bruit se répandit qu'un curé très compréhensif recevait à confesse dans le sellier, qu'il écoutait sans frémir les pires confidences et vous accordait l'absolution sans vous accabler de Pater ou d'Ave. Voltaire reçut l'ensemble de la domesticité. Il y avait beaucoup à absoudre, dans cette maison, il avait bien fait de venir.

Si le cadavre était à l'honneur en haut, l'abbé devint l'attraction en bas. Un laquais lui raconta que le jeune monsieur avait enlevé une bourgeoise et l'avait renvoyée chez ses parents après la troisième nuit ; il avait blessé au crâne un prêteur juif dont la plainte avait été rejetée, faute de témoins baptisés ; il avait eu plusieurs duels, notamment sur l'accusation d'avoir triché au biribi, mais s'en était sorti indemne, car il convenait aux nobles de mauvaises mœurs d'être assidus à leurs leçons d'escrime ; l'un de ses adversaires avait eu moins de chance, mais comme un ancêtre des Seraincourt avait suivi saint Louis en Terre Sainte, la mère de l'assassin avait fait valoir sa cause devant le roi, et l'on avait abandonné les poursuites pour ne pas désobliger les mânes du croisé de 1250.

En fin de compte, la pendaison lui allait fort bien.

Après avoir exprimé ses regrets aux parents, l'un des invités voulut adoucir un peu l'atmosphère. L'écrivain connu pour ses saillies drolatiques lui parut un sujet adéquat.

— Vous recevez Voltaire, vous ? lâcha-t-il en tendant la main vers le plateau des tartelettes qui passait à ce moment. C'était un ami de Chouchou ?

Mme de Seraincourt mère se raidit. Jamais ce mauvais plaisant n'avait mis un pied chez eux. Il n'y avait là que la famille, quelques amis triés sur le volet et des gens d'Église de la plus sévère moralité.

— Je doute que Voltaire soit entré dans les ordres, répondit le visiteur, la bouche pleine. Quoique, à bien y réfléchir, il en portait assez l'habit.

L'ami de la famille était descendu aux cuisines réclamer un verre d'eau – pour une raison inconnue, les serviteurs manquaient à leurs devoirs. Tandis qu'on lui remplissait une cruche, il avait vu le personnel, en file indienne, qui attendait de s'entretenir avec un personnage tout à fait dans le genre d'un certain philosophe.

Les Seraincourt se dirent que leur interlocuteur faisait ses visites de deuil en état d'ébriété. Pour balayer le moindre doute, on chargea des cousins, militaires de carrière, chez qui la tristesse n'atténuait pas la combativité, de faire la chasse à d'éventuels abbés fantoches.

La mauvaise nouvelle se confirma. On avait vu Voltaire ici et là. On l'avait cru invité, vu les habitudes de « Chouchou ».

— Quelles habitudes ? s'exclama Mme de Seraincourt d'une voix aiguë. Elles étaient très bonnes, ses habitudes ! Le cardinal va le dire en chaire tout à l'heure !

On approuva gravement, bien qu'on ne doutât point que l'écrivain n'eût été de ses intimes : tous les vices se tiennent la main, c'est bien connu.

Déjà fort énervée par les regards sarcastiques qu'elle croyait voir autour d'elle, Mme de Seraincourt avisa tout à coup un chapeau noir qui filait à travers ses salons en direction de la sortie.

— Vous ! cria-t-elle en pointant son éventail telle une baïonnette.

On vit un petit bonhomme en col plat, figé comme un lapereau dans le collet d'un braconnier.

— Comment osez-vous ! cria leur hôtesse. Chez moi ! Coquin ! Sodomite !

Voltaire disparut au milieu d'un groupe d'abbés qui se retournèrent tous, sans qu'on sût si c'était au mot de « coquin » ou de « sodomite ». Il rejoignit la rue aussi vite que possible, il entendait dans son dos un bruit de bottes. Sur la chaussée, un quidam s'apprêtait à monter dans une chaise de louage.

— J'ai une extrême-onction urgente ! lui lança Voltaire.

Il se jeta dans le véhicule et ordonna qu'on le conduisît au pas de course rue de Longpont, où une famille entière était sur le point de succomber à une épidémie foudroyante de delirium tremens.

Il médita sur son affaire au pas cadencé des deux porteurs. Les familles mentaient, la police mentait, lui seul ne parvenait à tromper personne. C'était décourageant.

CHAPITRE SEIZIÈME

Où il est démontré que les tonneaux sont,
depuis Diogène,
les meilleurs alliés des philosophes.

À peine Voltaire fut-il rentré qu'on lui annonça l'arrivée imminente de Mme du Châtelet : sa voiture était coincée au bout de la rue, elle réclamait quatre bras solides pour la porter par-dessus une flaque boueuse. L'écrivain ne disposait que d'un moment pour quitter en toute hâte ses affreux oripeaux de curé, enfiler sa robe de chambre et se mettre au lit, du courrier plein les mains.

Émilie franchit l'obstacle, assise sur les biceps de Dumoulin et de son commis au ramassage de la matière première, dont les grimaces laissaient croire qu'elle était moins légère qu'un fétu de paille. Elle s'était décidée à revenir, d'abord parce que le moribond lui manquait – on ne peut pas s'étourdir en permanence, il faut bien aussi, de temps en temps, affronter la détresse humaine. En outre, elle estimait qu'un laps de trois jours aurait atténué ses griefs.

Dans le corridor, elle demanda comment il était.

Céran eut la prudence de répondre qu'il était malade, c'est-à-dire mourant, c'est-à-dire mort, et annonça la visiteuse entre deux quintes de toux.

— Vous qui avez tant peur de la maladie, s'étonna-t-elle, vous gardez chez vous un homme qui serait mieux dans une maison de santé.

L'écrivain leva les yeux de sa correspondance.

— Céran ? Il a la gorge qui le grattouille. Ce n'est pas comme moi, qui m'en vais par tous les orifices de mon pauvre corps meurtri !

Émilie préférait ignorer ce qui arrivait aux orifices du corps meurtri. Elle n'aurait pas conservé un serviteur de toute évidence atteint d'une fluxion de poitrine dont elle avait vu mourir plus d'un malheureux. Au reste, l'évocation des douleurs voltairiennes lui suggéra un petit reproche.

— Vous me lancez des injonctions, vous me parlez de votre colique, vous me reprochez mon insouciance... Cela n'est pas d'un amant, c'est d'un mari.

Voltaire était bien d'accord. Dotée de deux maris, elle risquait de se chercher un amant. Il devenait urgent de la confier aux mains mathématiciennes de Maupertuis.

Émilie lui tendit un paquet au bout d'une ficelle.

— Tenez, je vous ai apporté notre vieille paille.

— Oh, comme c'est gentil ! Et puis c'est joliment emballé !

Il mit de côté le cadeau et sortit quelques lettres pour la tâter un peu sur le terrain de la jalousie. Le philosophe de toute l'Europe avait reçu une salve de missives en provenance de l'étranger. Entre mille amabilités, ses correspondants se disputaient l'honneur de lui offrir les avantages les plus flatteurs dans des châteaux éloignés. Il se déclara fort tenté de quitter la France pour recueillir sur ces terres lointaines la récompense de ses labeurs : après tout, la conscience de l'humanité pouvait s'éclairer depuis n'importe où.

Émilie parcourut les lettres « venues de l'étranger » étalées sur l'écritoire.

— Je doute que celle-ci émane vraiment de Stockholm : j'y reconnais le style du lieutenant général Hérault et je ne crois pas qu'il habite la Suède.

Elle passa à la suivante tandis que Voltaire regardait d'un œil nouveau les alléchantes promesses adressée par « Son Excellence le lieutenant de police de Frédéric Ier ».

— Celle-ci est de Mgr de Vintimille, dit Émilie après avoir examiné rapidement la deuxième, qui l'envoyait écrire sa philosophie chez le duc de Mantoue.

Elle était rédigée sur le papier de l'archevêché de Paris, dont on avait découpé l'en-tête avec une paire de ciseaux. Le troisième « correspondant étranger », un Allemand d'un pays où l'on pratiquait la religion réformée, employait des tournures typiquement jansénistes.

— Croyez-vous vraiment que le prince d'Anhalt-Köthen vous qualifierait de « saint bras armé prêt à pourfendre l'intolérance » ? Remplacez « intolérance » par « Voltaire », et vous aurez là ce que les prédicateurs disent de vous tous les jours.

— Fichtre, fit l'écrivain.

Il dut admettre qu'elle avait raison.

— Heureusement, je n'avais pas accordé foi à ces billets.

Il agita sa clochette pour prier discrètement Céran de ne pas porter ses réponses à la poste.

La question de son exil réglée, il relata à la marquise son édifiante visite à ces bons dévots de Seraincourt.

— Je crains que Hérault ne me fasse enquêter sur des victimes peu sympathiques.

Émilie lui accorda que c'était fâcheux. Si les défunts étaient des monstres, à quoi devait-on s'attendre de la part des assassins ? Il devenait fort difficile de conserver à cette enquête son élégance.

Pour mettre un point final au malentendu Richelieu, elle expliqua qu'elle s'était contrainte à lire *Le Tabouret de Bassora* pour deviner quels crimes risquaient d'être commis. Voltaire y avait songé, lui aussi, pendant sa dernière agonie. Les noms des personnages, sous leur apparence orientale, lui évoquaient des anagrammes. Il les trouvait compliquées, ne savait par quel bout les prendre.

— Allons ! dit Émilie, qui ne voyait là rien de plus ardu que le calcul du passage de la comète. Les anagrammes sont faites pour être décryptées.

— Ce texte est donc pour vous, ma chère, dit l'écrivain en lui baisant les doigts.

Elle estima qu'il avait une façon tout à fait aimable de lui donner du travail.

— Que feriez-vous sans moi ? répondit-elle.

La question qu'il se posait était plutôt : que faisait-elle sans lui ? Lorsqu'elle réclama sa lettre de change

175

de mille cinq cents livres, il eut la confirmation qu'Émilie se dissipait. Cette somme allait disparaître sur un tapis de cavagnole, elle était pour l'heure dans la poche du libraire Jore, c'étaient deux bonnes raisons pour occuper la marquise. Il lui vanta la résolution des anagrammes : ce plaisir-là ne coûtait rien.

Émilie s'étonna qu'il n'eût pas plutôt confié cette tâche à la chiffe ecclésiastique qui lui servait de secrétaire : Linant n'avait pas de fortune à perdre au jeu, il n'avait rien de mieux à faire.

Voltaire poussa un soupir de père déçu. On ne pouvait reprocher à Linant de ne pas s'être intéressé au *Tabouret de Bassora* : il l'avait lu trois fois, on avait eu grand mal à lui reprendre l'ouvrage. Mais pour ce qui était de déchiffrer les indices, on en était toujours au même point.

Émilie se résigna à étudier ce qu'il restait de mystère dans ces contes. Elle choisit le cinquième, qui était le moins long, et fit courir sa plume sur le papier. Tous les noms de personnes et de lieux furent mis en colonne. Il devait exister entre eux une logique qui, une fois découverte, permettrait de démailloter le principe comme on tire sur le fil d'un tricot.

Ce cinquième voyage du tabouret contait les mésaventures de la « belle Mauresque ». Grâce au meuble magique, l'héroïne s'échappait de chez ses parents pour vivre une romance qui tournait au jus de datte pourri. Elle s'égarait dans une oasis où divers djinns se matérialisaient pour rendre hommage à sa beauté. Après être passée de bras en bras, elle finissait dans un sérail qui ne valait guère mieux qu'une prison. La marquise nota que le sort des femmes n'était pas meilleur dans les contes orientaux que dans la France de 1733.

Le pays des djinns était décrit comme une longue allée arborée qui menait à un kiosque. Émilie n'en connaissait qu'un, sur les Champs-Élysées, la promenade à la mode.

Le jour baissait quand la marquise et le philosophe franchirent la grille de cette avenue de terre battue, garnie d'arbres et de bancs, où chevaux et voitures étaient prohibés. Une poignée de gardes suisses payés pour veiller à ce qu'on n'abîmât point la végétation passaient la plupart de leur temps à courir après les dévergondées et les petits malins de tous bords qui se lutinaient dans les fourrés.

On avait planté un jardin oriental, assez mal entretenu, au centre duquel s'élevait un kiosque décati. L'un des Suisses étant venu leur signaler qu'on allait fermer, un généreux pourboire leur permit d'apprendre que cette architecture exotique avait abrité les rendez-vous de libertins. On les avait surpris alors qu'ils s'ébattaient en compagnie d'une fille un peu simple. Les gardiens avaient interpellé la demoiselle – les messieurs s'étant échappés « par le bénéfice de leurs longues jambes ». On avait frôlé le scandale. Le père de la jeune personne, homme influent, avait acheté le procès-verbal pour une somme à faire pâlir d'envie l'auteur du livre salace le plus condamné.

Le Suisse répéta qu'il était temps de partir, mais laissa entendre néanmoins que, pour le prix d'un louis, on leur laisserait un répit d'une demi-heure, ce que la marquise jugea fort inconvenant et l'écrivain fort cher.

La coïncidence du décor, du conte et de l'incident scabreux les conduisit à penser que d'autres faits du même tabac s'étaient peut-être produits sur les lieux des deux premiers meurtres, la maison de passe et le pavillon de Charonne. Pour ce qui était de la folie Richelieu, ils savaient déjà très bien à quoi s'en tenir, Voltaire ne se priva pas de le rappeler.

Ils rentrèrent rue de Longpont à la nuit tombée. Puisqu'il n'y avait plus personne pour la porter, la marquise tâcha d'éviter la bouillasse à la faveur de la lueur dispensée par une lanterne publique, appuyée sur son philosophe, qui se révéla moins brillant pour aider à sauter les flaques que pour commenter Pascal.

— Vous qui voyez souvent M. Hérault, priez-le donc de faire paver, suggéra-t-elle.

Il y avait de la lumière, mais nul ne répondit quand Voltaire appela pour faire prendre leurs manteaux. La chandelle brûlait donc pour rien, c'était une gabegie dont Céran entendrait parler.

Une forme en pelisse et bonnet fourré gisait sur le tapis de la chambre à coucher-salon-cabinet d'écriture, la lame courbe d'un poignard arabe plantée entre les omoplates. Si l'écrivain ne s'était pas tenu à côté d'elle, Émilie aurait juré qu'il était passé de vie à trépas d'une manière plus définitive que d'habitude. Tandis que son ami fixait sur sa propre dépouille un regard ahuri, elle se pencha pour observer les traits du mort. C'était le malheureux Céran.

— Vous aviez raison, tout à l'heure : sa maladie n'était pas destinée à le tuer.

Un verre à moitié vide et une carafe d'un très bon ratafia à usage thérapeutique reposaient sur un guéridon, près du fauteuil réservé au maître. De toute évidence, en l'absence de son patron, le secrétaire-valet-copiste s'affublait de ses fourrures, de son couvre-chef rembourré, et sifflait ses alcools afin de réchauffer ses entrailles attaquées par la phtisie.

— Le fourbe ! Ma belle pelisse, trouée ! Le paltoquet !

Qui avait osé commettre l'attentat ? Un janséniste exalté ? Un confrère jaloux ? – ne l'étaient-ils pas tous ? Émilie fit remarquer que le poignard oriental évoquait *Le Tabouret de Bassora*. Peut-être l'assassin avait-il confondu l'écrivain avec ces libertins qui représentaient sa cible ordinaire ?

Voltaire se rua à la fenêtre, l'ouvrit en grand et cria :

— Je ne suis pas un libertin ! Je suis un honnête philosophe épris de justice et de liberté !

— Vous savez, pour la plupart des gens, c'est la même chose, dit Émilie.

Elle le fit asseoir dans son fauteuil, referma la fenêtre et lui servit un verre du cordial entamé par le valet. Puis elle retira un drap du lit et le jeta sur le cadavre, qui jurait avec le reste de la décoration.

Il y eut du bruit sur le palier. Linant rentrait du Théâtre-Français, où son protecteur lui avait procuré un abonnement gratuit en assurant aux comédiens que ce jeune poète plein de talents cachés leur mitonnait une tragédie en bons vers de douze pieds.

— Avez-vous entendu ? demanda l'apprenti versificateur. Il y a un ivrogne qui hurle des insanités, dehors !

Le philosophe était trop accablé pour parler. Émilie désigna le drap.

— M. Sirop, là, a eu un fâcheux malaise.

Afin de s'épargner un long discours, elle souleva le linceul, dévoilant le poignard. Linant poussa un cri aigu.

— Si on vient m'accuser du meurtre, articula Voltaire, vous direz que c'est vous.

— Mais ! Mais ! fit l'abbé.

— M. de Voltaire ne saurait être compromis dans une telle affaire, insista la marquise, qui trouvait enfin un peu d'intérêt à cette chose encombrante nommée Linant. Son œuvre est trop importante pour pâtir de tels désagréments. Vous comprenez, je pense.

On ne comprenait pas du tout.

— Mais ! répéta Linant. Je n'ai tué personne, moi !

Émilie poussa un soupir.

— J'espère bien. Il ne s'agit pas de ça. Vous écoutez ce qu'on vous dit ?

Il était vraiment obtus, elle se demanda s'il n'y mettait pas de la mauvaise volonté. Il pouvait bien rendre un petit service à un génie qui faisait tant pour lui. L'ingratitude était un perpétuel sujet de consternation.

À défaut d'endosser le crime, on le pria d'aider au moins à évacuer le corps. Cela lui parut acceptable, en comparaison.

Ils avaient un cadavre sur les bras. Faire appel à Hérault était dangereux. Avec son esprit mal tourné, le lieutenant général de police risquait de profiter des circonstances pour, par exemple, envoyer le cher auteur dans un cachot. Émilie réfléchissait. À son grand dam, elle dut bien constater qu'elle était la seule à garder la tête froide.

— Il avait de la famille, votre Girand ?

— Vous savez bien que je recueille les orphelins, répondit l'émule de saint Vincent de Paul.

La marquise eut pour le défunt un regard de pitié. Il gisait là, sans amis ni parents, seul, comme il l'avait toujours été.

— Bon, où allons-nous le mettre, maintenant ? demanda-t-elle, son élan de commisération passé.

Linant précisa qu'il avait toujours, pour sa part, sa maman, qui tenait une auberge à Rouen. Pour la première fois de la soirée, la marquise se félicita que ce ne fût pas celui-ci qui eût été poignardé : on allait se défaire de l'orphelin plus facilement.

On aurait pu s'en remettre à Dumoulin, qui avait de la ressource : il avait trouvé un deuxième usage pour la vieille paille, il pourrait faire de même du cadavre. Mais Émilie ne lui faisait pas confiance. Elle contempla Voltaire, qui se remettait difficilement de s'être vu assassiné sur son tapis.

— Nous pourrions faire croire que vous êtes mort et faire sortir M. Legrand dans un cercueil…, proposa-t-elle.

Hélas, le bruit de son décès avait couru si souvent que même la police flairerait l'entourloupe. Émilie eut enfin une idée.

— Il y a bien un marchand de pâtés, à l'entrée de votre rue ?

— Vous ne pensez tout de même pas…, s'insurgea l'abbé.

Voltaire lui-même parut choqué.

— Cet homme a de gros tonneaux, sans doute ? reprit la marquise.

Linant fut chargé de leur procurer l'accessoire. Il courut à la boutique, prétexta une réception chez son protecteur et acheta n'importe quelle denrée, pourvu qu'elle fût contenue dans une barrique. Le bonhomme s'étonna que Voltaire servît à ses invités trente livres de harengs au jus, mais la vie privée de ses clients ne le regardait pas.

L'abbé fit rouler son fût jusqu'à un recoin désert et sombre de la rue, ôta le couvercle et le vida dans le ruisseau, pour la plus grande joie des chiens errants qui abondaient, si près des berges de la Seine où vivaient les rats. Il laissa les animaux à leur festin et poussa jusqu'à la maison de Voltaire, où il campa son fardeau sous une fenêtre.

La principale difficulté était de faire se rencontrer corps et tonneau. L'abbé fit le guet tandis qu'on descendait Céran au bout d'un câble en se félicitant que sa maladie l'eût empêché de s'empâter. Par chance, il n'y avait pas de lune.

— Cyrano est avec nous ! dit Voltaire, qui goûtait fort les célèbres aventures sélénites du romancier[1].

La translation verticale du trépassé ne parut avoir été remarquée de personne. Dumoulin fut bien sûr un peu surpris de voir un pendu glisser devant sa fenêtre, mais il avait pour principe de ne jamais s'interroger sur les actions de son associé quand elles ne concernaient ni la paille, ni les chiffons. Linant guida les

---

1. *L'Autre Monde ou les États et Empires de la Lune*, 1657.

jambes vers l'orifice et posa le couvercle sur cet objet d'horreur enfin dérobé à sa vue.

Émilie et Voltaire se vêtirent de houppelandes sombres à large capuche. Étant donné la rareté des lanternes publiques, un tissu noir bien enveloppant vous effaçait du paysage aussi sûrement qu'un coup de mie de pain sur un fusain. Les trois comploteurs possédaient un tonneau rempli d'une salaison très peu comestible, flairée de loin par un groupe de chiens qui espéraient le deuxième service.

— Quel était son prénom, au fait ? demanda Émilie.

— Euh…, fit Voltaire. Je l'appelais « vous ».

On se tourna vers Linant, bien que l'abbé se fût toujours estimé d'un rang très supérieur au reste de la maisonnée.

— Je ne l'appelais pas.

La marquise décida de le baptiser Jean. Jean Ferrand, cela allait bien ensemble. Le pauvre homme recevait le même soir son baptême et son extrême-onction.

— Voulez-vous dire quelques mots ? demanda-t-elle.

Linant se lança dans une prière latine.

— Je parlais à monsieur, le coupa la marquise, impatientée par ces litanies hors de propos.

L'écrivain récita un extrait du *Banquet* de Platon et dessina dans l'air les caractères grecs formant le nom de Socrate.

— Repose en paix, vaillant serviteur de la philosophie !

— Je suis sûre que, là où il est, il sait qu'il est mort pour la bonne cause, approuva Émilie. Il s'en va vers le Parnasse au son de votre voix. Que pouvait-il espérer de mieux ?

— Nous devrions plutôt le rouler vers les berges, dit Linant, que le rassemblement d'une meute et l'éventualité d'une rencontre avec le guet inquiétaient.

On fit rouler le fût au bas de la rue, qui descendait en pente douce vers les rives boueuses du fleuve. Linant redevint anxieux.

— Vous n'allez tout de même pas…

— Rassurez-vous, dit Voltaire. Nous donnerons à notre ami la sépulture qui convient.

Les trois silhouettes encapuchonnées partirent à la recherche d'un batelier sur le point d'appareiller, et parlementèrent pour lui faire emporter le tonneau. On aurait juré que le marin discutait avec les trois Parques.

— Cinquante livres pour livrer ceci à Rouen, déclara l'écrivain, qui avait dans cette ville des amis sûrs, propriétaires de grands jardins isolés.

Sans répondre, l'homme continua d'enrouler ses cordages à la lueur de sa lampe. Après avoir essuyé le regard de reproche de la marquise, Voltaire monta à cent livres. Il fallait ce qu'il fallait, on n'allait pas rabioter avec la mémoire d'un fidèle assistant.

Le batelier considéra la dimension de la barrique et l'allure de ses propriétaires.

— Ici, nous appelons ça un « colis pour saint Antoine[1] », et c'est deux cents livres.

Voltaire paya en se disant qu'il aurait pu l'enterrer pour moins cher dans n'importe quelle paroisse, et avec une messe de première classe, encore.

---

1. Saint Antoine de Padoue est le patron des objets perdus.

Sur le chemin du retour, seule Mme du Châtelet se sentait alerte et vive. L'écrivain boudait à cause des deux cents livres, Linant traînait les pieds et se plaignait de ce qu'on lui faisait commettre des atrocités sans même lui laisser le temps de souper. Émilie le taquina sur sa goinfrerie.

— Voyez ce qui arrive aux mauvais secrétaires. Le tonneau, Linant, le tonneau !

Dans ces moments-là, le jeune abbé regrettait le séminaire. Certes, on ne vous y procurait pas des abonnements gratuits à la Comédie-Française, mais le supérieur était plus coulant que la marquise. On lui avait bien dit que le diable existait ; on ne l'avait pas prévenu qu'il portait jupon.

CHAPITRE DIX-SEPTIÈME

Comment un gnome défendit une sirène contre un géant, d'une manière que n'eût pas reniée Charles Perrault.

Il importait d'identifier au plus vite l'auteur de ces crimes insupportables : *Le Tabouret de Bassora* comptait une dizaine de contes, et Voltaire ne disposait pas d'autant de secrétaires à offrir en sacrifice. Par chance, Linant n'avait pas bien compris le danger. Dans un moment qu'il éternuait, son protecteur s'adressa à lui avec tout le paternalisme dont il était capable.

— Mon petit Michel, vous vous dégarnissez sur le dessus, vous allez prendre froid. Mettez donc ce bonnet.

Il lui offrit l'un de ses couvre-chefs mous fourrés en dedans, tellement reconnaissables. Linant se contempla dans le miroir de la cheminée. Le grand chic voltairien lui réussissait moins bien qu'à son créateur. Il avait l'air d'un pêcheur de perles attaqué par un poulpe.

Émilie le vit déambuler devant les fenêtres, coiffé du vilain chapeau, aussi exposé qu'une chèvre attachée à un piquet.

— Vous êtes donc sans pitié, dit-elle à l'écrivain.

Linant trouva finalement un prétexte pour renoncer à un accessoire qui lui seyait si peu :

— Je n'en serai digne que lorsque j'aurai fait jouer ma première tragédie !

Voltaire songea que ce n'était pas demain la veille. Si les imbéciles se mettaient à avoir de l'esprit, les sages étaient perdus – et dans un avenir proche, pour ce qui le concernait.

Dans un souci d'efficacité, ils se partagèrent les tâches. Émilie s'efforcerait de décrypter le livre, tandis qu'il irait sur le terrain avec Linant en guise de bouclier.

Restée seule, la marquise reprit ses anagrammes. L'un des héros, un poète entre deux âges, mais de belle prestance, nommé Ibn El Cor, lui donna du fil à retordre. Subitement, elle trouva. Le livre lui glissa des mains et chut sur le parquet avec le bruit d'un couperet sur la nuque d'un philosophe.

L'argent, c'est bien connu, est le nerf de beaucoup de choses, la littérature y compris. Tandis que la marquise remettait les lettres du *Tabouret* dans le bon ordre, Voltaire et Linant rendaient visite à l'usurier favori des auteurs parisiens, un Juif d'Alsace qui aimait les beaux textes. Jacob Lehmann était le traiteur de tout ce qui écrivait : il transformait la prose en comestibles. Les littérateurs désargentés venaient à lui parce qu'il concédait des conditions particulières à tout ce qui tenait la plume et qu'il prenait les manuscrits en gage, à condition qu'il existât quelque espoir de publication.

Partout autour d'eux s'étageaient des livres et du papier, jusque dans les cadres qui ornaient des textes saints en caractères hébraïques. Presque aussi longue qu'un manteau, la veste du prêteur lui tombait à mi-mollet. Sa barbe noire, d'une longueur peu courante, et son chapeau de feutre aussi rond qu'un turban lui conféraient une silhouette orientale. Seule concession à une élégance plus convenue, les coûteuses dentelles des manches et du col indiquaient qu'il avait su conduire son commerce de manière avisée.

M. Lehmann accueillit son ancien client à bras ouverts, avec la même chaleur que pour le fils prodigue.

— Ah ! Monsieur ! Comment se portent les belles lettres ?

— Très bien, très bien. Et les affaires ?

— Ach ! Fort mal, comme toujours.

— J'en suis heureux pour vous.

Les rayonnages étaient remplis d'éditions rares, d'incunables, de signatures illustres et de reliures somptueuses. On y trouvait de tout, depuis le traité de médecine arabe d'Avicenne jusqu'à une édition originale de *Don Quichotte*, cédée par un descendant de Cervantès qui avait eu des revers de fortune.

— L'écriture, tout est écriture ! Il n'y a rien de mieux, en ce monde, que l'écriture ! s'extasia l'usurier.

— Oui. Vous consentez des rabais ?

— Ah, non. Ça, c'est du calcul.

Il était, après le directeur de la Librairie, l'homme le plus craint, flatté, respecté et détesté par les gens de lettres.

— Mon grand-père, le rabbin, a lui-même composé

plusieurs interprétations de la Kabbale qui, sans me vanter, ont fait du bruit chez nos coreligionnaires.

— Oui, oui, bien, dit Voltaire.

Il reporta à plus tard le débat sur l'entrée du grand-père à l'Académie des écritures rabbiniques et demanda qui, de ses chers collègues, avait récemment soldé son compte.

— À part vous, qui avez fait cela il y a longtemps, et d'une façon si magistrale ! dit M. Lehmann.

On sentait dans l'œil du prêteur une admiration qui ne tenait pas au talent littéraire du visiteur.

— Pour le reste, je ne puis révéler les petits secrets de vos concurrents moins fortunés.

La partie d'échec avait commencé.

— Le manuscrit original de mon *Adélaïde Du Guesclin*, dit Voltaire. Ce sera le grand succès de l'hiver prochain.

— Plus deux tirages de tête de vos *Lettres philosophiques*, dont on parle tant mais qu'on voit si peu.

— Vous m'écorchez. C'est d'accord.

Le prêteur consulta son registre pour la forme, bien qu'il sût parfaitement ce qu'il allait y lire. Un seul auteur venait de rembourser sa dette. Son nom suscita chez Voltaire un profond accablement.

Une fois dans la rue, il se laissa aller à sa contrariété.

— Je trouve du plus mauvais goût cette façon qu'a cet homme de mêler littérature et mercantilisme.

Il indiqua à Linant un petit tas de paille à fourrer dans le sac qu'il le contraignait à emporter partout avec lui.

— Qu'a-t-il voulu dire avec la « façon magistrale »

que vous avez eue de solder votre compte ? s'enquit le jeune abbé.

— Rien. J'ai gagné à la loterie. Ce n'est pas Marivaux, là-bas ?

Linant ne vit, dans la direction indiquée, qu'un muletier crasseux qui tirait par la bride un animal à grandes oreilles. Il n'osa pas demander à Voltaire lequel des deux il avait confondu avec Marivaux.

Alors qu'ils déambulaient sur le boulevard, un carrosse s'arrêta à leur hauteur. Émilie se pencha à la fenêtre et leur fit signe. Elle s'était hâtée de venir révéler le résultat de son déchiffrement.

— Il y a un écrivain cité dans le *Tabouret de Bassora* ! C'est Cré…

— …billon, acheva Voltaire avant de monter en voiture.

Leurs recherches avaient abouti au même patronyme, qui sonnait comme le carillon de beaucoup d'ennuis. Il revenait pour la seconde fois dans cette affaire, autant dire qu'il était son tocsin. Crébillon fils était protégé. Il fallait aller débusquer une preuve chez ce poète soudainement enrichi. Pas question, cette fois, d'y envoyer Linant : ils ne seraient pas trop de trois pour combattre l'armée de chats, de chiens, le corbeau et l'ours académicien qui pouvaient jaillir du grenier à tout moment.

Linant émit une objection d'une grande opportunité qui enchanta tout le monde :

— Madame, le savoir-vivre me force à vous rappeler qu'une dame ne peut aller chez un homme sans y être attendue.

— Vous avez raison, dit la marquise.

Ce fut Voltaire qu'elle foudroya du regard.

Le soir même, non seulement elle les accompagnait dans leur expédition, mais elle avait endossé un costume masculin afin de répondre à l'article sur les bonnes manières qu'on lui avait rappelé avec tant d'obligeance. Ses coffres regorgeaient d'habits de son mari, le colonel, qui sans doute ne seraient plus assez larges le jour où il se déciderait à quitter ses camps militaires. Elle était grande, elle n'eut qu'à faire reprendre la culotte par l'une de ses femmes et à couvrir le tout d'un long manteau. Sa complète absence de barbe lui donnait un peu l'air d'un vieux jeune homme, mais la facture élégante de son tricorne à galon d'or la classait dans une catégorie de population à qui l'on ne posait pas de questions sur son sexe.

Linant resta bouche bée.

— Vous voyez que vos avis sont toujours suivis, dit Voltaire.

Rue des Douze-Portes, dans le Marais, aucune lumière ne brillait. Ils toquèrent à l'œil-de-bœuf du portier. À cette heure-là, le brave homme n'y verrait pas grand-chose. Linant baissa la voix d'une octave pour imiter la basse profonde du vieux dramaturge :

— Fichtre, morbleu de moi ! J'ai oublié ma canne !

La serrure se débloqua.

Pour la porte palière, il suffisait d'un bon crochet et d'un peu d'adresse. La marquise tira de sa poche une épingle. L'abbé fut peiné de constater qu'on l'avait déjà tordue pour lui donner la forme adéquate, ce qui suggérait un usage antérieur.

— Ce n'est pas plus difficile que la dentelle, expliqua Émilie, à qui l'on avait enseigné quelques arts domestiques en plus de la physique et de l'astronomie.

Ils explorèrent l'appartement à la chandelle, ouvrirent les placards et les tiroirs, à la recherche d'un document qui eût prouvé que Crébillon fils avait écrit une cochonnerie de trop. Il devait bien conserver, ici ou là, un mot de son imprimeur, un jeu d'épreuves, un bon signé par son libraire… Il était fort difficile de supprimer toute pièce compromettante, Voltaire en savait quelque chose.

Linant tomba nez à nez avec un chat alors qu'il fouinait sous le sofa.

— Matou ! Matou ! Alerte ! couina-t-il en reculant à quatre pattes, comme devant un tigre mangeur d'hommes.

Émilie, de son côté, contemplait un gros volatile couleur de geai qui la toisait depuis la corniche d'une armoire. Elle avait déjà vu garder chez soi des perroquets, des merles chanteurs, de jolis canaris. Mais, de corbeaux, point.

— Je me demande quelle peut être l'utilité d'un tel oiseau.

— Croyez-moi, dit Voltaire, vous êtes bien heureuse de l'ignorer.

En tâtonnant au fond du secrétaire, Voltaire mit la main sur une cassette qui servait à ranger de l'argent et des papiers. Il en retira un reçu pour cinquante volumes d'un tiré-à-part intitulé *Le Tabouret de Bassora*, adressé au sieur Prosper de Crébillon.

— Hourra ! Nous le tenons ! Il est cuit !

Émilie considérait avec perplexité une lettre qu'elle lui tendit.

— Dites-moi…

Le mot était signé Claude-Prosper de Crébillon. Monsieur fils usait en général de son premier prénom… pour se démarquer de son père.

La nouvelle sembla causer à Voltaire un transport au cerveau.

— Le père ! Le père ! C'était le père !

On entendit dans le couloir une cavalcade de pattes. Ce bruit rappelait de fâcheux souvenirs aux deux hommes. Ils poussèrent Émilie, qui n'y comprenait rien, dans l'armoire la plus proche, et se cherchèrent en toute hâte des abris contre l'invasion qui menaçait. Voltaire fila sous une table, où il s'efforça d'adopter le naturel d'un courant d'air, tandis que Linant se glissait derrière le sofa, armé d'un éventail pour écarter tout museau, aile ou canine qui eût approché.

Descendu de son grenier dans sa nuée de quadrupèdes, monsieur père se mit à fourrager dans les flacons d'alcool que son fils conservait dans son cabinet de travail et qui, sans doute, étaient le condiment indispensable à une inspiration de qualité.

On avait eu l'élégance de laisser à Émilie la cachette la moins malcommode. C'était aussi la plus mauvaise. Le corbeau perché sur la corniche entreprit de frapper obstinément la porte avec la pointe de son bec.

— Qu'est-ce qu'il y a, Rhadamiste ? demanda son maître, de sa voix d'outre-tombe.

Il ouvrit le meuble, la sandale à la main, prêt à assommer un rat. Le flacon qu'il cherchait ne devait pas être le premier de la soirée, car il fut à peine surpris de sa découverte.

— Une sirène !

Émilie lui décocha son sourire le plus enjôleur. Il l'aida à quitter son armoire, ce qu'elle fit avec la grâce de Vénus naissant d'une coquille Saint-Jacques. Une fois dans la pièce mal éclairée, en compagnie du géant un peu trop assidu, elle se demanda si elle n'eût pas préféré retourner dans le placard. L'incongruité de son costume masculin émoustillait visiblement son hôte, dont les larges pognes hésitaient entre les bouteilles de vin et l'envie de vérifier si le taffetas collait aux jambes de la délicieuse apparition.

— Eh bien, eh bien, mon coquin de fils oublie ses belles amies dans nos réduits, dit le colosse, sourire aux lèvres, tandis qu'Émilie reculait avec prudence.

Étant donné les répugnants écrits dont ce monstre libidineux était soupçonné d'être l'auteur, Voltaire n'estima pas pouvoir l'abandonner. Il jaillit de sous la table, saisit le premier objet qui lui tomba sous la main – un petit Chinois en porcelaine qui, sûrement, n'était pas aussi dur que le crâne du dramaturge – et le brandit comme il l'eût fait d'une épée, c'est-à-dire d'une main nerveuse et dans le mauvais sens.

— Arrière, faquin !

L'irruption d'Émilie avait été une heureuse surprise, celle du gnome en colère déplut.

— Après la sirène, le têtard ! lâcha monsieur père.

— Je savais que l'auteur du *Tabouret* ne pouvait qu'être un homme abject ! s'écria le défenseur des visiteuses impromptues.

— Demandons à l'archevêché qui de nous deux doit être brûlé, suggéra Crébillon.

— Moi, je n'écris pas de tabourets, je n'ai pas ce mobilier à mon catalogue !

— Mon nom ne sert pas de synonyme au mot « Satan » !

— Votre nom n'a certes rien apporté de nouveau à la langue française, décréta l'auteur des *Lettres philosophiques*.

— J'en débattrai avec mes confrères de l'Académie, à notre prochaine séance du dictionnaire.

Voltaire sentit dans sa poitrine la meurtrissure glacée d'un poignard. Émilie s'interposa pour mettre un terme à cette discussion littéraire de haut niveau. Ayant trouvé un contradicteur à sa mesure, Voltaire cherchait des yeux un instrument plus lourd que le Chinois, afin de mieux faire valoir son point de vue ; or, monsieur père avait trop de corpulence pour tenir dans un tonneau.

La marquise lui assura qu'elle avait fort prisé la lecture de ces « charmants contes orientaux », elle le félicita pour sa parfaite maîtrise du vocabulaire érotique. Elle en profita pour demander ce que voulait dire « foutimasser », quitte à regretter sa curiosité, ce qui fut le cas.

Voltaire agita sous le nez de Crébillon le billet qui le désignait comme auteur à brûler. Monsieur père poussa un soupir, servit du rhum à tout le monde, y compris à l'abbé, dont les pieds dépassaient de sous le sofa. Quand chacun eut son verre à la main, il entreprit de conter l'histoire de sa conversion au roman scabreux.

— Voyant que la tragédie ne rapportait plus…

— Comment, ça ne rapporte plus, la tragédie ! le coupa Voltaire.

— C'est un genre passé de mode, dit Crébillon en balayant l'air d'une main qui semblait plonger tout l'art dramatique dans quelque gouffre insondable.

— Comment ! Comment ! s'offusqua l'immortel auteur de *Zaïre* et d'*Ériphyle*, qui avait misé sur les alexandrins et sur un pathétique dosé à la truelle pour graver son nom dans le marbre du Parnasse.

Il espéra que ce Crébillon senior était non seulement le père honteux du *Tabouret de Bassora*, mais qu'il s'était rendu coupable d'un monceau de crimes qui l'amèneraient à expier son insolence sur une paille de seconde main que l'on pourrait fournir à bon prix à l'administration.

— Allons, Voltaire, dit le sacrilège, de sa voix à entonner le *De profundis*. Il serait naturel de nous entendre, vous et moi. Nous sommes tous deux fils de notaires…

Le philosophe le foudroya d'un regard très peu philosophique. Ajouter l'injure à l'indignité n'arrangeait pas l'opinion que l'on avait de ce voleur d'honneurs académiques. Il fut tenté de répondre qu'il se moquait de savoir de qui Crébillon était le fils ; il avait, pour sa part, les muses pour mères, cela lui suffisait comme généalogie.

Sans lui laisser le temps d'exprimer sa pensée, Émilie demanda à leur hôte pour quelle raison il n'avait pas même laissé courir le bruit qu'il avait écrit ce délicat chef-d'œuvre de la prose légère.

— Vous comprenez, dit Crébillon, un illustre

auteur comme moi, un académicien pensionné par la couronne…

Il y eut un ricanement du côté de la bergère où Voltaire sirotait son rhum. Il fallait croire que la gloire ne nourrissait pas son homme et que les lauriers avaient besoin de fumier pour refleurir.

— Nous comprenons fort bien, assura Émilie, qui faisait tous les frais de la diplomatie. M. de Voltaire sait ce que c'est.

M. de Voltaire faisait la tête d'une reine d'Angleterre à qui on apprend qu'on va ouvrir un pub à matelots dans Westminster Abbey.

Voyant que son fils avait gagné plus d'argent avec son récit crapuleux du *Sylphe* que lui avec sa tragédie de *Pyrrhus*, qui regorgeait pourtant de si beaux vers, le vieil auteur avait troqué l'alexandrin pompeux pour la petite phrase coquine. Après tout, il connaissait les femmes pour les avoir longtemps courtisées, caressées, palpées et tout ce qui s'ensuit. Émilie recula sa chaise.

— J'aime le camembert, ça ne veut pas dire que je sais comment c'est fait, objecta la marquise, que les certitudes masculines agaçaient toujours un peu.

On concéda néanmoins à l'escogriffe décrépit qu'il se connaissait en matière d'alcôves.

— Vous avez donc lu mon *Tabouret* ? demanda-t-il.

Voltaire acquiesça. Une pointe de vanité perça sous l'écorce de l'écrivain comme il faut que ses propres audaces effrayaient.

— Eh bien ? Qu'en pensez-vous ?

— Que je suis janséniste, dit l'apôtre de la tolérance.

La réponse inquiéta.

— Vous n'allez pas me dénoncer, au moins ?

Émilie s'indigna qu'une telle idée pût traverser l'éponge ramollie qui tenait lieu de cerveau à ce vieillard. Elle déclara bien haut que son philosophe était incapable de la moindre vilenie. Puis elle chercha dans les yeux de ce dernier la confirmation de ses propos.

— Mais pour qui me prend-on ? dit Voltaire. J'ai une conscience ; c'est très gênant ; plaignez-moi.

Même Émilie l'estima peu crédible.

— Rassurez-vous, renchérit-il d'une voix grinçante. Ce n'est pas moi qui vous ferai de la publicité.

Au besoin, il nierait même de toutes ses forces que cette vieille pomme à l'imagination rabougrie eût quoi que ce fût à voir avec le succès de la saison auprès des libraires, des obsédés et des assassins fous.

— C'est donc vous qui trucidez le pauvre monde au cours de parties fines ? demanda-t-il au cher pornographe.

Monsieur père tomba des nues. Il nia avoir seulement jamais battu un chat, et le désordre ambiant plaidait dans le même sens.

Pourquoi un assassin s'était-il mis en devoir de lui rendre cet hommage macabre ? Ils voulurent connaître ses sources.

— Tout vient de mon imagination !

— À d'autres ! dit Voltaire. Si vous en aviez, vos spectateurs s'en seraient aperçus.

Crébillon jura qu'il n'avait pas d'autre explication à leur fournir : un criminel qui avait de toute évidence fait une chute sur la tête s'inspirait de ses beaux récits pour mettre en scène des meurtres exotiques ; le goût oriental avait gagné les déments, voilà tout.

Ils n'en tireraient rien de plus ce soir-là. Il était temps de le remercier pour son hospitalité, pour sa petite confession et pour son élixir antillais. Émilie engagea les deux hommes de plume à sceller leur réconciliation par un baiser confraternel.

— Allons, messieurs ! Vous êtes trop grand auteur l'un et l'autre pour vous entredéchirer.

Ils se donnèrent l'accolade.

— Canaille emperruquée, souffla Crébillon à l'oreille de Voltaire.

— Facteur de tabourets, murmura celui-ci.

Alors que nos enquêteurs descendaient l'escalier, Émilie déclara :

— Il est beau de voir comme vous vous appréciez, une fois vos différends oubliés.

— C'est le propre des grands esprits, dit l'écrivain.

Il méditait la rédaction d'un petit traité après quoi Crébillon père n'aurait plus qu'à ouvrir un atelier d'ébénisterie orientale. Ce ne fut qu'à hauteur du Pont-au-Change qu'il s'aperçut qu'il avait oublié Linant dans le repaire du troll.

Dans son logement plein de chats, le dramaturge abordait la déclamation du deuxième acte de *Pyrrhus*, et le remplaçant du corbeau pleurait dans le sofa, son verre de rhum à la main.

CHAPITRE DIX-HUITIÈME

Où l'on voit Voltaire expliquer
à un savant ce qu'est la science,
puis changer un prince en grenouille.

Le lendemain, Linant n'affichait pas sa bonne humeur habituelle.

— Savez-vous ce que c'est que de passer la nuit à écouter un ivrogne réciter son *Pyrrhus* ?

— Que voulez-vous, répondit Voltaire, certains font en sorte que leurs pets sentent l'eau de jasmin, mais ce ne sont jamais que des pets.

Il était, lui aussi, mal disposé. La découverte de l'auteur du *Tabouret de Bassora* ne l'avançait pas beaucoup : il lui était difficile de croire que Crébillon père fût un assassin, aussi séduisante cette idée fût-elle.

Il dépiautait la presse internationale pour voir si l'on y mentionnait ses *Lettres anglaises*. À La Haye, *La Bibliothèque britannique* en donnait un compte-rendu détaillé, mais, parmi les Français, seul l'abbé Prévost en parlait dans *Le Pour et Contre*, feuille imprimée à Amsterdam.

Avec l'élection de Stanislas sur le trône de Pologne, Voltaire s'était dit qu'il allait envoyer promener son pacte tragique avec le démon du Châtelet. Hélas, la vodka du roi Stanislas avait tourné au vinaigre. Chassé de Varsovie par le parti saxon, le beau-père de Louis XV avait dû se réfugier derrière les remparts de Dantzig. Jore reçut ces jours-là un billet où l'on avait écrit : « Suspendez la parution ! Signé : V. »

Un renfort de six navires français arriva en vue des côtes polonaises. Hélas, le vieil amiral de *La Luzerne* avait davantage envie de prendre sa retraite que de mourir pour la Pologne. Ayant appris que Dantzig était assiégée par plusieurs dizaines de milliers d'Allemands, qu'on ne les comptait plus, qu'ils étaient enragés comme des Allemands, il fit faire demi-tour à sa flotte et rentra à Brest. Jore reçut ce billet : « Cachez mes textes ! Signé : un philosophe. »

Le gouvernement français décida d'adresser un puissant soutien aux habitants de Dantzig sous la forme d'une lettre signée de la main même de Louis XV. Sa Majesté très chrétienne les assurait qu'« on ne négligerait rien pour leur sauvegarde ». Autrement dit, la France les abandonnait à leur triste sort. Voltaire écrivit à Jore : « Fuyez ! Signé : qui vous savez. »

La tsarine Anna Ivanovna arma vingt mille hommes pour déloger Stanislas de sa forteresse. La Russie, l'Autriche et le Saint-Empire firent élire leur candidat à la force des fusils.

— Mais ils votent pour quiconque se présente, ces gens-là ! s'indigna Voltaire. Quelle sorte de monarchie est-ce là ?

Ce n'était pas, en tout cas, la sorte sur laquelle on

pouvait compter pour asseoir le destin des belles lettres. Jore reçut un message où l'on avait écrit : « Brûlez mes livres ! Signé : Personne. »

Voltaire se concentra sur l'autre problème majeur de la saison : la vie intellectuelle d'Émilie. Il devait absolument la détourner du jeu et des hommes, deux passions funestes à la tranquillité des philosophes. Il mit en application son idée géniale de lui faire rencontrer Maupertuis pour qu'il l'instruisît dans les sciences physiques.

Il disposait de billets pour la première en matinée[1] d'*Hippolyte et Aricie*, opéra de Jean-Philippe Rameau, à qui il avait promis un livret encore très nébuleux. Il donna rendez-vous au jeune savant chez Mme du Châtelet :

> *J'ai une espèce de diarrhée, cependant je viendrai à l'heure promise, attendu que votre compagnie doit être un baume.*

Voltaire reçut Maupertuis tandis que « Pompon-Newton » mettait la dernière main à sa toilette et commença par lui faire l'article : sa marquise savait manier le compas, pointer une lunette, c'était la femme parfaite. Il avoua au jeune savant qu'il comptait un peu sur lui pour rétablir la réputation de son égérie.

— On l'a trop vue en ma compagnie. Les mauvais esprits s'imaginent des choses… qui ne sont pas gracieuses.

----

1. C'est-à-dire l'après-midi.

À voir le lutin famélique, Maupertuis songea que ces choses ne devaient pas être gracieuses, en effet.

— Ce n'est pas bien, dit le savant. Un célibataire qui vit avec une femme mariée, quoi de plus naturel ?

Heureusement, Voltaire avait trouvé le remède à la médisance.

— Montrez-la un peu, vous, un homme sérieux, un homme de science, un académicien !

Cette dernière qualité lui coûtait à dire. Enfin, jetant sa marquise dans les bras de l'Institut, il estimait n'avoir rien à redouter.

Il se mit en devoir d'expliquer au savant comment répandre ses œuvres : Maupertuis n'avait vendu que deux cents exemplaires de son traité sur l'attraction universelle. Voltaire espérait faire mieux avec ses *Lettres*, car il avait « assaisonné au goût du jour la science et la philosophie ». Maupertuis ne voyait pas comment « assaisonner » le mouvement des planètes.

— Il faudrait présenter agréablement les aventures de la gravitation universelle, dit Voltaire. Vous pourriez en faire un conte plein d'ironie, par exemple.

Le savant jugea qu'on le prenait pour Charles Perrault.

Émilie s'était habillée pour l'Opéra – c'est-à-dire qu'elle aurait pu chanter sur scène. Voltaire voulut faire les présentations.

— M. de Maupertuis...

— Oui, oui, fit Émilie.

Un sourcil se haussa sous la perruque à marteaux.

— Vous vous connaissez ?

— Non, non, fit le mathématicien.

— Bien, bien, fit le philosophe.

L'heure de se rendre à la représentation avait sonné.

— Ne viendrez-vous pas ? dit Maupertuis.

— Oh, non, j'ai des obligations. Vous savez : augmenter ma correspondance, composer un acte en alexandrins, éclairer la conscience de l'humanité…

Il avait surtout une visite à faire dans la haute société, raison pour laquelle il avait endossé son bel habit rouge. Il leur confia une mission d'espionnage : Rameau réclamait un livret, il voulait savoir comment ce compositeur les concevait.

— Ne vaudrait-il pas mieux vous en rendre compte par vous-même ? s'étonna Maupertuis.

— De la musique et du chant ? s'écria Voltaire. Fi ! Très peu pour moi !

Émilie entre de bonnes mains, il pouvait à nouveau s'intéresser à ses affaires. Il savait déjà que l'étranglé de la folie Richelieu était une sorte de don Juan sans scrupule. Il eût aimé savoir si celui de Charonne, le saint Sébastien à la flèche, était du même acabit. Il avait justement un assortiment d'objets aux armes des Guise ramassés dans le pavillon du crime. Il était temps de les rapporter à leurs propriétaires.

L'enclos du Temple était une zone protégée où les créanciers ne pouvaient pas entrer. On s'y entassait comme des naufragés sur un esquif, entre le marché du Carreau, le palais du Grand Prieur, la tour médiévale et la petite église gothique.

Les Guise, branche cadette de la famille de Lorraine, occupaient un logement, certes confortable, mais sans rapport avec leur rang. Voltaire comprit pourquoi ils s'étourdissaient de parties fines dans des maisonnettes : quand on se faisait appeler « prince » et qu'on n'avait plus le sou, il ne restait qu'à s'amuser de toutes les façons interdites au commun des mortels.

Sa Seigneurie portait un bel habit couleur d'étang, bordé d'un galon blanc aux arabesques compliquées. Sa cravate bouffante était piquée d'une fausse émeraude issue des verreries de son pays natal.

Le prince fit prévenir sa femme qu'ils avaient un visiteur : leur couple reposait sur un partage équitable des contrariétés. La princesse marqua un temps d'arrêt en apercevant le petit homme qui s'avançait pour la saluer.

— Ma mie, dit son mari, notre cher Voltaire nous fait la grâce d'une visite.

— Je vois cela, mon bon. Quelle heureuse idée vous avez eue de m'appeler.

Sa robe crème à fleurs bleues faisait d'elle un buisson de pervenches. Elle avait sur les épaules un fichu de tulle opaque, mais pas de collier au cou. Les Guise, décidément, avaient réduit la voilure.

Voltaire leur présenta la tabatière armoriée, la canne au même emblème, et les leur remit « au nom de leur vieille amitié » : il n'avait pas voulu voir leur blason « traîner en des lieux qu'ils n'avaient sûrement jamais fréquentés ».

On le remercia et l'on attendit de savoir ce que l'aimable coursier allait réclamer pour sa peine. Comme il ne disait rien, le prince crut devoir s'expliquer.

— Nous nous rendons parfois à des soirées de haute tenue, pour écouter des lectures poétiques ou assister à des démonstrations de danses d'Europe centrale.

Le sujet des danses d'Europe centrale passionna Voltaire. Il voulut tout savoir de cet événement : qui y était venu, ce qu'on y avait fait et, par-dessus tout, dans quelles circonstances le meurtre s'était produit.

La mention d'un meurtre provoqua chez le couple princier une sorte de paralysie générale. Avec son habit vert, monseigneur ressemblait à une grenouille qui eût cherché à se confondre avec sa feuille de nénuphar au passage d'une couleuvre. Pour leur rendre la parole, Voltaire affirma qu'il valait mieux le lui dire à lui plutôt qu'à M. Hérault, qui pratiquait les questions ordinaire et extraordinaire[1]. La grenouille se fût volontiers changée en dragon pour cracher du feu sur l'insolent, mais rien de tel ne se produisit, car elle avait déjà du mal à se changer en prince. Les Guise se résignèrent donc à confier leurs petits travers au visiteur, qui paraissait déjà si renseigné sur la nature de leurs loisirs.

M. de Volpatière, le convive de la maisonnette où ils n'étaient jamais allés, mort pendant le souper auquel ils n'avaient jamais assisté, était un fieffé faquin. L'une de ses facéties était d'avoir un jour glissé sous la chaise de Mme de Saint-Sulpice deux puissants pétards qui avaient occasionné à cette dame de sérieuses brûlures là où l'on pense.

— Ce sont des badineries, on n'y prête pas attention, dit le prince.

La princesse n'avait pas l'air de juger la badinerie si plaisante. Les seigneurs libertins étaient réputés pour leurs cruautés. Ces militaires avaient trop souvent

_____

1. La torture judiciaire en vigueur sous l'Ancien Régime.

l'habitude de traiter le corps féminin comme leurs champs de bataille.

Sur l'identité de l'archer qui s'était permis de le prendre pour cible, ils ne pouvaient rien dire : leur seule préoccupation avait été de fuir au clair de lune aussi vite que possible.

Les points communs entre les deux dernières victimes étaient donc qu'on ne les pleurerait guère.

— Il est toujours agréable de s'entretenir avec vous, dit Voltaire en se levant.

— Votre conversation est un délice, répondit le prince.

— Je reviendrai à l'occasion.

— Oui, oui, faites donc, dit la princesse.

On allait donner le mot au portier et à tout ce qui, dans la maison, savait fermer une porte.

De retour dans la rue du Temple, Voltaire eut l'impression d'être suivi par une ombre enveloppée dans une cape. Il la sema facilement en se rencognant derrière un pilier, aussi supposa-t-il que l'indiscret était de la police.

Chez la marquise, on lui répondit que madame n'était pas rentrée. Il était bien tard, pourtant, la représentation d'*Hippolyte et Aricie* devait être terminée. Voltaire retourna rue de Longpont : peut-être Maupertuis et elle l'y attendaient-ils pour lui raconter le spectacle ? Là non plus, il n'y avait personne. Il en fut dépité. Et son livret, alors ? Il décida de ressortir.

— Où allez-vous, à cette heure ? s'étonna Dumoulin, dans l'escalier.

— Chez les femmes de petite vertu, pardi ! C'est

là qu'on va, quand on est seul et que tout le monde vous abandonne !

La messe hier, les prostituées aujourd'hui, Dumoulin estima que son associé menait décidément une vie d'ecclésiastique.

CHAPITRE DIX-NEUVIÈME

*Où l'on apprend que la philosophie
est bonne contre les maux de ventre.*

Ce qui intriguait le plus Voltaire, c'était que nul n'ait réclamé le corps de la première victime, celle du boudoir écarlate. La police ne l'avait-elle pas encore identifiée ? Il devait retourner sur le lieu du meurtre, dans le bousin de la rue du Vert-Bois.

Foin des précautions, il renonça à préserver sa renommée, qui ferait peu d'impression sur les rats de la Bastille. La servante qui lui ouvrit annonça qu'il y avait là un monsieur du nom de « Voltaire, éminent philosophe ». Aussi sa patronne fut-elle surprise de découvrir une tête déjà vue.

— Tiens ! Vous ne vendez plus du drap à Vesoul ?

Il vendait de la philosophie à Paris et avait besoin de ses services pour maintenir cette activité. Il fit regrouper ces demoiselles, au prétexte qu'il avait une communication à leur faire de la part de M. Hérault. C'était là une divinité que l'on n'invoquait pas en vain dans le temple des plaisirs tarifés.

Quand il eut face à lui cinq visages de jeunes femmes et la large face de Madame, il déclara que le maître du Grand Châtelet était très fâché contre elles : il savait de source sûre qu'elles avaient empêché l'identification du défunt. Voltaire voulait bien s'entremettre pour leur épargner des sanctions, mais elles devaient lui dire la vérité pour effacer leur faute.

La mine pensive de l'« abbesse » et de ses pensionnaires démontra qu'il avait vu juste. Rien n'effrayait davantage les filles de joie que de comparaître devant René Hérault. Il en envoyait chaque semaine à la prison de la Salpêtrière pour racolage, vagabondage, ou sur le soupçon d'être infectées. Il fallait se tenir plus éloignée de cet homme-là que du diable.

— Il se peut, dans notre affolement, que nous ayons commis une erreur, répondit Madame sur le ton d'une joueuse de cavagnole surprise à tirer des as de son corsage.

Les manières et l'apparence du client leur avaient fait soupçonner qu'il était homme d'Église. Par peur du scandale, elles lui avaient ôté ses principales marques de religion avant l'arrivée de la force.

— Vous rendez-vous compte que vous avez entravé l'enquête de M. Hérault ? s'indigna Voltaire.

— Oh, mais non, puisqu'il vous a, vous ! répondit la maligne.

Elles lui apportèrent ce qu'elles avaient distrait : une médaille à l'emblème d'une grosse abbaye de province qu'il avait au cou, et des lettres à l'en-tête de ce même établissement qui étaient dans ses poches.

Elles avaient inventé de la difficulté là où tout aurait dû être simple.

— Il était chauve, n'est-ce pas ? dit Voltaire.

Dans le cas contraire, les policiers auraient vu sa tonsure. Il rédigea quelques lignes pour expliquer à Hérault qu'il avait réussi à récupérer certains biens de la première victime au prix d'aventures dont il lui épargnait le détail – qu'on sache seulement qu'il n'avait pas ménagé sa peine ni dédaigné de risquer sa vie dans des combats héroïques. Il recommanda à Madame de faire porter sans délai la missive et le colis.

Voltaire entendit deux pensionnaires s'inquiéter pour une troisième, qui était malade.

— Malade ?

On lui affirma qu'elle n'avait pas le genre de maladie auquel il pensait : c'étaient des crampes au ventre. Des douleurs gastriques, dans une maison où l'on parlait d'empoisonnement, cela justifiait une visite.

La souffrante était couchée dans une petite chambre en soupente. Voltaire s'assit sur son lit, examina sa langue d'un œil circonspect, lui assura qu'il était fort au fait des maux abdominaux et connaissait le moyen de les guérir tous.

— Il faut d'abord définir ce qui a les causés, mon enfant.

Elle tira de sous son matelas une petite boîte ovale. Le couvercle était décoré d'une peinture émaillée qui ne laissait pas de doute sur le contenu : on y voyait un couple dont le monsieur présentait la virilité d'un bouc.

— Ne serait-ce point la boîte qui a disparu la nuit où un homme de foi est mort dans votre boudoir écarlate ?

La prostituée avoua entre deux grimaces qu'elle avait escamoté l'objet après qu'il eut roulé sous le sofa. Croyant à un aphrodisiaque, elle en avait tâté et s'en voyait punie.

Le réceptacle était rempli de cachets blancs qui n'étaient pas inconnus à l'écrivain. Il en brisa un et y goûta du bout de la langue.

On avait baptisé ces bonbons « pastilles à la Richelieu », parce que le duc en vantait l'usage à toute occasion. Ces pilules galantes, *diavolini* en Italie, étaient à la cantharide, un aphrodisiaque connu depuis l'Antiquité. Le produit pouvait causer de cuisantes brûlures d'estomac. Voltaire fit préparer une liqueur huileuse et émolliente, excellent remède contre ces douleurs et contre la curiosité mal placée.

Si les pilules étaient presque inoffensives, l'abbé grivois n'avait donc peut-être pas succombé à un empoisonnement. Il avait pu mourir d'un accident de santé occasionné par les trémoussements de sa houri. Les signes causés par la cantharide avaient orienté la police sur une fausse piste. S'il s'agissait d'une mort naturelle, toute l'affaire s'en voyait changée.

Restait la piste du livre salace, lui aussi disparu. Il importait de définir qui était présent ce soir-là, hormis les filles. Sa patiente soulagée, Voltaire retourna au salon.

— Ah ! Monsieur de Voltaire ! s'écria l'abbesse. Vous opérez des guérisons miraculeuses ! Nous sommes ravies de vous compter parmi nous !

L'intéressé, en revanche, ne fut pas ravi de s'entendre interpeller de la sorte. Il n'avait pas l'intention d'avoir chez elles son rond de serviette. Cet accueil en fanfare était d'autant plus fâcheux qu'il y avait là un grand bonhomme, sans doute gêné, lui aussi, car il cachait sa figure derrière son vilain chapeau.

L'écrivain se demanda qui pouvait être assez peu dépourvu de sens esthétique pour décorer d'un galon rose un couvre-chef en feutre vert pomme. Il s'approcha et écarta l'objet avec le doigt.

— Crébillon ?

— Chut donc ! fit le vieux dramaturge. Je suis de l'Académie, moi !

— Et moi aussi, presque, dit Voltaire.

À mieux y repenser, il se dit qu'il venait de gagner une voix.

Un petit livre dépassait de sous le gros postérieur de Crébillon. Voltaire tira dessus avec obstination, ce qui força l'académicien à se lever. C'était un exemplaire de son œuvre magistrale, *Le Tabouret de Bassora*.

— Ah, mais je connais cet ouvrage, dit l'abbesse.

Le philosophe leva les yeux au ciel. Si cette femme s'était souvenue du titre à leur première rencontre, il n'aurait pas eu à courir Paris.

Il considéra l'autre objet de sa contrariété. Déjà d'une taille inconvenante, monsieur père avait trouvé moyen de s'affubler d'une veste encore plus grande que lui. Sa posture de guingois et son col rehaussé sur l'arrière lui donnaient l'allure d'un pantin de foire tiré par des ficelles. Son gilet rayé dans le sens de la largeur n'aidait pas à dissimuler sa bedaine. Sa culotte sombre qui plissait sur ses bas noirs achevait de donner à sa silhouette un ridicule que le philosophe estima tout à fait incompatible avec l'exercice des belles lettres.

— Alors, mon cher, on revient sur les lieux de son crime ? lança-t-il à Crébillon, tout en tirant sur ses propres bas qui ondulaient, avant de rectifier devant le miroir l'ébouriffé de sa perruque.

Il faisait allusion à l'écriture du conte, ce crime pendable. Crébillon admit qu'il avait décrit dans son récit les endroits où s'étaient ensuite commis les meurtres. Afin d'en avoir le cœur net, il était retourné à la maisonnette de Charonne, avait revu la folie Richelieu et s'apprêtait à inspecter ce boudoir.

— Fort bien, dit Voltaire. C'est votre tour de mener l'enquête et de vous faire tuer.

— Oh ! s'exclama le dramaturge, dont la voix de basse profonde monta au registre du baryton léger. Je n'ai pas le temps ! J'œuvre pour la beauté de l'art ! Pour la gloire de notre théâtre !

On ricana sous la perruque.

— Quand votre sultane Clitorazade propose au janissaire de lui faire la brouette de Damas, je ne suis pas sûr que cela soit glorieux pour les belles lettres.

Il lâcha le cochon pour les catins et exigea de connaître l'identité de ceux qui s'étaient enfuis avant l'arrivée du guet.

— Il est possible que nous ayons un indice à vous soumettre, dit l'abbesse.

Souvent, les nobles retournaient leur chevalière par souci de discrétion. L'un des messieurs avait pressé si fort certaine partie charnue de la fille avec qui il était que l'empreinte de sa bague était restée visible, tel un coup de tampon. On avait pris la peine d'en relever le dessin.

— Pour porter plainte ? dit Voltaire.

— Oui, voilà.

Sans doute était-ce plutôt pour extorquer de l'argent au brutal s'il y revenait. On pouvait voir sur le papier une forme de blason décorée d'un poulet et de deux couteaux. C'était mieux que rien, ce qui, dans l'état de son enquête, était déjà beaucoup.

Comme les deux hommes quittaient la maison de passe, Voltaire demanda à Crébillon si certaines péripéties de ses contes n'étaient pas, elles aussi, inspirées de faits réels. Le dramaturge admit qu'il avait arrangé des anecdotes qui, pour la plupart, avaient eu lieu dans ces mêmes pièces.

— Eh bien ! Je ne vous félicite pas ! lui lança Voltaire.

Au fond, il s'en fichait, il s'inspirait lui-même abondamment de l'Histoire ; mais flageller moralement un Crébillon contrit fut son plus grand plaisir de la journée.

En réalité, monsieur père avait tout de même introduit dans son recueil quelques aventures de son invention. Il y en avait même une qui regardait le lutin réjoui qui cheminait à ses côtés. Il tenta de lui en toucher un mot, avec des mines embarrassées, mais Voltaire jouissait tant de sa suprématie momentanée qu'il n'y eut pas moyen de se faire entendre.

— Allez au diable ! finit par lui lancer le vieux conteur, dont la patience était à bout.

Il s'éloigna dans la rue Saint-Martin, à la recherche d'un troquet où rafraîchir son gosier asséché par de vains discours qui n'empêcheraient pas le freluquet de courir à sa perte.

Ce dernier regarda l'imposante silhouette s'éloigner en tanguant comme le mât d'une frégate en haute mer. Sa conviction était faite : l'assassin imitait le roman tout comme le romancier avait imité la réalité. « Un fou inspiré par un idiot ! », se dit-il en hochant la tête.

Eût-il connu la vérité, il se fût inquiété davantage.

Émilie avait assisté au plus bel opéra de la décennie aux côtés du savant le plus brillant. Celui-ci l'avait ensuite attirée chez lui au prétexte de lui montrer ses éditions originales de Galilée. Un petit souper tout à fait inopiné, quoique bien conçu, les attendait. Émilie ignorait que Galilée fût amateur d'huîtres. Elle supposa que les coupes à champagne en cristal de Bohême étaient un hommage à l'astronome Tycho Brahe. C'était un piège, mais le genre de piège délicieux dans lequel une marquise avait envie de tomber.

L'ellipsoïde de révolution ne parut pas à Maupertuis un sujet assez badin. Pour pimenter le tête-à-tête, il ouvrit un exemplaire du *Tabouret de Bassora*.

— Où avez-vous trouvé ceci ? dit Émilie.

Il l'avait « emprunté » au philosophe, qui avait imprudemment posé l'ouvrage sur un fauteuil. Le savant s'amusa à lire tout haut l'un des contes.

— Écoutez, voici du grotesque le plus hilarant.

Le penseur Gadiz, grand sage de la ville per-
sane aux cent coupoles nommée Parsi, était connu

pour porter un turban à la mode d'un calife tré-
passé dix ans plus tôt. On venait de loin écouter
ses avis, car il en donnait de très précieux quand
il n'était pas occupé à agoniser sur des sofas,
enveloppé dans des pelisses en peaux de léopards
et coiffé de keffiehs fourrés de poils de chèvre, en
dépit de la chaleur qui règne sur le golfe Persique.
Entré en possession du tabouret magique par
l'entremise d'un cheikh qui s'était trouvé à court
de dinars...

— Croirez-vous que notre ami lit de telles
fadaises ? Peut-être même les écrit-il ?

Émilie ne répondit rien. Cette lecture la laissait pensive. Elle n'avait plus la tête aux amusements coquins.
La description de Gadiz-le-sage avait quelque chose
de familier. Eût-elle été moins assidue à décrypter les
anagrammes, cet aspect du conte lui fût apparu plus
tôt.

À la mort du valet Céran, ils avaient cru que
l'assassin avait voulu tuer Voltaire pour l'empêcher
d'enquêter. Une autre explication se dessinait.

La marquise se leva de son siège et déclara que son
devoir l'obligeait à se retirer. Maupertuis s'étonna : il
était un peu tard pour se rappeler ses devoirs. Son
étonnement atteignit son comble quand elle déclara
qu'il lui fallait sauver Voltaire.

— Sauver Voltaire ! répéta le physicien.

C'était là le prétexte le plus extravagant qu'une
femme eût inventé pour le quitter une heure trop tôt.
Il voulut savoir quel genre de souci rendait nécessaire
la mise à mort d'un tête-à-tête si prometteur.

— On veut le tuer !

Il ne vit pas en quoi cela justifiait de gâcher la soirée.

Émilie promit de dîner avec lui une prochaine fois. D'ailleurs, pourquoi ne lui donnerait-il pas ces leçons de physique que Voltaire appelait de ses vœux ?

— Vous dites cela pour me consoler.

— Je vous jure que je n'accepterai pas d'asymptotes d'un autre que vous.

Il la laissa partir à regret. Il y avait décidément chez ces écrivains une malice qui leur donnait toujours l'avantage sur les gens sérieux.

Alors qu'il longeait le boulevard à la recherche d'un moyen de transport digne d'accueillir un arrière-train philosophique, Voltaire repéra de nouveau une ombre qui marchait sur ses talons.

Il avisa à un coin de rue une sorte d'armoire mouvante qui gâtait le paysage. C'était Crébillon. Il se hâta de le rejoindre et l'apostropha, sourire aux lèvres.

— Mon cher ami ! J'ai des scrupules ! Nous nous quittons fâchés !

Monsieur père interrompit sa marche d'éléphant et poussa un soupir.

— Qu'est-ce que vous voulez, Voltaire ?

Après qu'ils eurent échangé quelques mots à voix basse, Crébillon ôta son ample manteau, dont il parut vouloir secouer la poussière. Cela fit, l'espace d'un instant, comme un large rideau de scène. Quand il le remit sur ses épaules, le lutin philosophique s'était évaporé.

CHAPITRE VINGTIÈME

*Où l'on tente d'établir une différence précise
entre philosophie et poireau-vinaigrette.*

Fort satisfait d'avoir été escamoté comme un lapin dans un chapeau, Voltaire trottinait sur le boulevard, dans la lumière déclinante du coucher de soleil. Il eût aimé trouver un véhicule : il avait mis ses bas neufs pour faire bonne figure auprès des Guise et chez les petites femmes, or il avait plu et les rues étaient pleines de crotte.

Il avisa l'une de ces chaises à deux roues appelées « brouette » ou « vinaigrette ». Un homme robuste suffisait à la tirer par les brancards, et l'ensemble se faufilait dans des passages où les fiacres n'entraient pas.

— Monsieur, vous êtes la sauvegarde de la raison ! déclara Voltaire en prenant place à l'intérieur de cette boîte.

Le tireur ne s'en formalisa pas, il avait l'habitude de convoyer des ivrognes. La carriole s'ébranla en direction de la rue de Longpont, les semelles commencèrent à marteler la boue avec de grands « floc ».

Ces déplacements avaient fatigué l'enquêteur. Les

cahots ne l'empêchèrent pas de piquer du nez. Il s'assoupit à moitié sur le siège étroit.

Un bruit sec lui fit rouvrir les yeux. Il avait sous le menton la lame d'une épée qui traversait l'habitacle. « Mon livre a dû paraître ! », pensa-t-il.

Il saisit sa canne à bec de corbin, indispensable accessoire du penseur audacieux, et s'en servit pour repousser les assauts du lecteur mécontent. La vinaigrette continuait d'avancer comme si de rien n'était. Voltaire vit que l'attaque émanait d'un véhicule semblable au sien. Le passager devait avoir donné un bon pourboire à son tireur, venu se poster à côté de son collègue. Coincés dans leurs brancards, aucun des deux n'avait conscience du drame qui se jouait dans leur dos.

L'épée revint fourailler au hasard dans la cabine, à travers le rideau de la fenêtre, comme un bâton à pêcher les crabes dans les trous d'eau. « Je vais finir dans une vinaigrette ! », se dit Voltaire. Il marmonna précipitamment quelques sentences d'Aristote, avec l'espoir que les mânes du Grec antique lui épargneraient un destin peu compatible avec ce qu'il souhaitait pour sa postérité.

Une idée lui vint.

— Au Louvre ! cria-t-il.

Son tireur bifurqua sur la droite et s'engouffra dans une ruelle trop étroite pour les deux véhicules. L'autre tireur marchait derrière eux. Combien de temps un homme pouvait-il tirer une brouette avec un Voltaire à l'intérieur ?

On obliqua dans une rue plus large. L'autre les rejoignit au prix d'un effort qui avait dû lui être payé en or : il fallait au moins lui avoir fait miroiter les trésors de la reine de Saba pour qu'il déployât tant d'énergie. Voltaire maudit le sort qui l'avait rendu si peu fortuné et si parcimonieux : cela n'aidait pas à se sortir de poursuites où le carburant se composait de monnaie sonnante. Il s'adressa à son propre tireur et tenta un : « Vous aimez les éditions rares de Platon, mon brave ? » Mais la promesse d'un princeps relié en demi-chagrin et dédicacé par lui-même n'eut pas l'effet escompté. Pire, le bonhomme ralentit pour prier son client de répéter, car il n'avait rien compris.

Voltaire eût volontiers fait glisser le rideau pour voir qui osait s'en prendre à lui, mais ce taffetas élimé était sa seule protection, il empêchait l'agresseur de viser juste, aussi préféra-t-il laisser le mystère intact.

Comme ils ralentissaient pour croiser la charrette d'une laitière, il saisit un pot à lait à la volée et lança le liquide crémeux sous les pieds du poursuivant, qui s'étala de tout son long sur la chaussée. Tandis que sa propre roulotte allait son chemin, il brandit son chapeau par la fenêtre en guise d'adieu. Il se dit, en abordant le quartier du port au blé, que le séjour de Paris devenait vraiment difficile : les critiques littéraires s'y montraient irascibles.

La vinaigrette ne put pénétrer dans la rue de Longpont, encombrée de caisses et de ballots. Voltaire descendit et régla sa course, en prenant soin de se poster de façon à cacher le côté du véhicule griffé de longues éraflures. Il dut se frayer un chemin entre les trous boueux de la chaussée et les paquets empilés contre les murs : des sans-gêne se permettaient d'encombrer la voie publique avec leurs saletés. Parvenu devant son porche, il constata que c'était sa fortune qui traînait là. Dumoulin avait fait rentrer un énorme lot de cette matière première qui allait révolutionner l'industrie papetière.

L'humeur du philosophe était donc bien meilleure lorsqu'il fut hélé par Émilie. Morte d'inquiétude à son sujet, elle était accourue chez lui en toute hâte, s'était effrayée de ne pas l'y trouver et sortait avertir la force quand elle l'avait aperçu qui examinait d'un œil ravi la montagne de paille pourrie et de chiffons crasseux entassés devant chez lui.

Il lui fit part de l'attentat auquel un courage exceptionnel et un parfait maniement de la canne à poignée renforcée lui avaient permis d'échapper.

— Les lecteurs sont de plus en plus hargneux, ma chère ! Je parierais sur un janséniste. Le respect des gens de lettres se perd à un point scandaleux.

Elle eut le triste devoir de le détromper : l'attentat était inscrit dans le *Tabouret de Bassora* depuis le début. Elle lui lut les passages qui le désignaient à mots couverts parmi les libertins de toute nature.

— Je vais étrangler Crébillon ! s'écria Voltaire. Avec un escabeau, ça devrait être possible.

Émilie le dissuada de repartir sitôt après avoir échappé à une fin tragique. De fait, ses jambes se dérobaient. Elle le reconduisit chez lui tandis qu'il grommelait quelque chose à propos d'un duel avec un vieux singe. Il s'était offert des leçons d'escrime après les coups de bâtons du chevalier de Rohan, sept ans plus tôt. Personne n'avait jamais accepté d'en découdre avec lui ; c'était l'occasion de rentabiliser ses passes d'armes et ses courbatures.

— Voyons, dit la marquise, dans l'escalier, vous savez bien que vous n'avez jamais réussi à exécuter la moindre feinte. Vous avez dû vous rabattre sur les armes à feu, tout Paris vous a vu hanter le quartier du chevalier avec deux pistolets chargés, ce qui vous a valu votre exil en Angleterre.

— Je vais mitrailler Crébillon ! déclara le philosophe.

— Mais imaginez qu'il vous touche le premier, qu'il abîme cette belle main ? dit Émilie en caressant l'appendice en question. Qui tiendra la plume pour dénoncer l'injustice ? S'il détruit cette belle tête, qui échafaudera des plans pour combattre l'arbitraire ? Vous devez vous préserver pour le bien du genre humain.

« Et pour le mien », pensait-elle. Les jours avaient commencé de raccourcir, elle ne se voyait pas affronter les longues soirées d'hiver sans un Voltaire pour animer la conversation.

Il admit qu'elle voyait juste. Il ne s'appartenait plus. Il ne pouvait abandonner ce monde en désarroi parce qu'un gougnafier avait eu l'outrecuidance de le caricaturer dans un méchant récit que presque personne n'avait lu. Il se contenterait d'écrire un petit poème bien senti sur le vilain dramaturge à bout de souffle : ce serait plus efficace qu'un duel et ne mettrait pas en péril l'avenir de la philosophie.

Émilie l'installa dans son fauteuil, devant son écritoire.

— Voilà, dit-elle.

— Comme vous êtes aimable, ma chère. Et vous, qu'avez-vous fait, ce soir ? Vous êtes-vous un peu amusée, au moins, avec ce bonnet de nuit ?

— Qui donc ?

— Maupertuis, l'ennuyeux physicien. Ne vous a-t-il pas trop assommée de ses théories pompeuses ?

J'ai des remords de vous avoir imposé sa présence jusque dans une loge d'opéra.

Elle lui assura qu'il ne devait pas s'inquiéter pour si peu, elle était toujours prête à se dévouer pour la bonne cause.

— Ah, ma chère amie ! Je sens que je mourrais si je ne vous avais plus.

Aucun homme ne lui avait jamais dit cela. Elle s'attendrit au point qu'elle se fût aventurée dans des aveux périlleux s'il eût achevé là sa déclaration. Par chance, il ajouta que son bonheur serait complet avec un bon lavement et appela ses gens pour qu'on lui préparât son clystère, le gros modèle, en cuivre avec bocal de verre vénitien bariolé. La marquise savait qu'elle disposait d'environ huit minutes avant de devoir battre en retraite plus précipitamment que les Polonais devant les troupes de la tsarine.

— Au fait, savez-vous les nouvelles de notre guerre ? demanda-t-elle.

Il répondit qu'il avait été trop occupé à éviter les coups d'épée.

Quarante mille Russes marchaient sur Dantzig en brûlant tout sur leur passage. Auguste de Saxe était sur le trône. Stanislas appelait à l'aide depuis sa forteresse. Voltaire tempêta dans son fauteuil.

— C'est une injure faite à la France ! Versailles va être obligé de réagir !

Il allait tâcher de survivre un peu, au moins jusqu'à la victoire qui permettrait de publier ses *Lettres*. Comme il comptait sur ce lavement pour l'y aider, la marquise le laissa profiter des merveilleux progrès de la médecine moderne.

CHAPITRE VINGT ET UNIÈME

Comment Voltaire partit chasser le poulet
et attrapa un magistrat.

Émilie avait décidé de retourner dans la maison de Clichy. Elle avait été trop bousculée, le soir du meurtre, pour étudier comment celui-ci avait pu être perpétré : la nudité nuisait à ses talents d'enquêtrice. Dès qu'il fit jour, elle se présenta à la porte de la folie Richelieu et prétendit avoir égaré une boucle d'oreille en perle au cours du souper. Le portier ne s'en étonna point. On perdait des tas de choses, dans ces petites soirées : ses vêtements, sa pudeur, sa vertu, sa réputation et, éventuellement, la vie.

Il lui ouvrit volontiers le pavillon où se tenaient les orgies de monseigneur et lui proposa même de soulever les matelas. Afin de s'épargner des suggestions pleines de sous-entendus, elle se contenta de faire un tour rapide pour repérer les ouvertures et feignit de découvrir, sous un tapis, une boucle tout juste sortie de son gant. Elle remit une pièce au brave homme et demanda la permission de se promener un moment dans les jardins, le loisir le plus innocent auquel on se fût livré en ces lieux.

À vrai dire, la célébration des plaisirs charnels s'exposait aussi bien dans ces bosquets qu'à l'intérieur du pavillon. Toute la mythologie du libertinage à l'antique en carrare s'était donné rendez-vous parmi les buis taillés. Entre faunes, nymphes, vénus, satyres, on voyait moins d'arbustes et de massifs que de fesses, de cuisses, de seins pointant et d'autres attributs que la décence interdit de citer ici.

La marquise constata que le plus sûr chemin, pour entrer discrètement, était la petite porte par laquelle ils avaient fui. Elle ouvrait sur une allée qui séparait le domaine de celui des voisins. Émilie venait de trouver une nouvelle destination pour ses pérégrinations.

Pendant ce temps, Voltaire se présentait au cabinet d'un héraldiste qui avait sûrement des révélations à lui faire sur les clients des maisons de passe parisiennes. Un clerc gris, terne et voûté, qui semblait dater d'un règne auquel maintes familles eussent aimé faire remonter leur arbre généalogique, l'introduisit auprès de son patron.

La pièce était garnie de grimoires, de répertoires, d'armoriaux de France et de tous les pays où l'on aimait classer les gens d'après leur naissance. Une grande fenêtre donnait de la lumière sur la table où le spécialiste en armoiries et fatuité usait ses yeux sur de vieux parchemins jaunis. Il était si gros qu'il débordait de son siège. Le gilet de satin, sous son habit beige, était finement brodé de rosiers grimpants.

Voltaire tâcha d'imaginer combien de vrais et faux blasons il avait fallu authentifier pour s'offrir toutes ces petites fleurs-là.

Il tira de sa poche le dessin confié par les demoiselles de la rue du Vert-Bois. On pouvait y voir l'empreinte de chevalière laissée sur une fesse par l'un de ces messieurs. Habitué à ne plus s'étonner de rien, l'héraldiste examina la chose. Le poulet et les couteaux ne lui posèrent aucun problème.

— Cette marque-là est inconnue de moi, dit-il en pointant le doigt sur un détail.

Voltaire se pencha.

— Ce doit être un grain de beauté, n'y prenez pas garde.

L'héraldiste haussa un sourcil et rajusta ses lorgnons.

— Famille récente, probablement de robe, je penche pour la Touraine ou l'Anjou : il existe par là-bas une habitude de placer des volailles sur son écu. Les épées sont à la mode, on en a mis partout, ces deux derniers siècles. Voyons cela…

Il se décoinça de son fauteuil et choisit sur les rayonnages un armorial de la dernière édition, car il craignait que le blason ne figurât pas dans les précédentes. Il fouilla parmi les pages durant un moment qui parut long à son visiteur, mais qui suffit pour parcourir d'antiques lignées dont quelques-unes remontaient réellement au siècle de Jeanne d'Arc.

— C'est bien ce que je pensais, dit-il enfin.

Il invita son client à passer de son côté de la table et lui montra une disposition identique au croquis fessu.

— Oh non…, fit Voltaire.

— Eh si, fit le gros expert. Et vous n'avez pas encore vu ma petite note.

Les armes et la terre de Pouzay appartenaient à M. Morin, maître des requêtes, l'un des neuf présidents au Grand Conseil, personnage très considérable, très puissant et aussi très à cheval sur la morale, comme tout bon magistrat de Sa Majesté.

Outre ses grimoires plus ou moins vieux, l'héraldiste possédait l'almanach de 1733, où figurait l'adresse des plus hauts serviteurs de l'État. Que M. Morin fût Belzébuth en personne ou, pire, un janséniste confit en dévotion que même les *monsignori* du Vatican eussent trouvé étroit d'esprit, c'était à l'hôtel de Pouzay qu'il fallait poursuivre les recherches. Après s'être délesté d'une partie de sa bourse, Voltaire s'y rendit ainsi qu'on part en guerre : tête baissée, sans s'accorder le temps de réfléchir, comme on se jette dans une action inévitable dont on se dispenserait si on pesait le pour et le contre, parce que certaines nécessités débordent le cadre de la raison.

Le Grand Conseil était une juridiction souveraine dont le pouvoir s'étendait à tout le royaume, une sorte de cour suprême de Justice très proche de la couronne. Ses compétences venaient d'être renforcées, il avait contribué à introduire la bulle papale *Unigenitus* dans le droit français. Tous ses membres accédaient à la noblesse.

Les Morin de Pouzay habitaient hors les murs, au nord de Paris. Voltaire se souvint vaguement être venu dans ce quartier peu de temps auparavant. La rue des Portes-Blanches[1] devait son nom et sa couleur au transport du plâtre depuis les carrières de Montmartre.

On accédait à la maison par une jolie cour de forme arrondie, toute en pierre de Paris. La simplicité du bâtiment cachait un intérieur luxueux, comme souvent chez les parlementaires. Un beau jardin agrémentait la vue depuis les pièces situées sur l'arrière.

Mme de Pouzay l'accueillit à la porte du petit salon. Voltaire lui baisa le bout des doigts et la remercia d'avoir bien voulu le recevoir à l'improviste. Il souhaitait lui exposer les mérites d'une société charitable inventée en chemin : les bonnes œuvres philosophiques à l'intention des analphabètes. La présidente désigna une personne assise, une tasse à la main.

— Vous connaissez la marquise du Châtelet, je crois ?

Voltaire considéra le tableau qu'il avait sous les yeux.

— Très mal, vraiment très mal, répondit-il.

Émilie porta à ses lèvres un chocolat qu'elle trouva particulièrement délicieux.

Le quémandeur fit un effort pour inscrire sur son visage un sourire de hyène. Il importait de glaner le plus de renseignements possible avant l'arrivée de l'ogre qui vivait là. Heureusement, Émilie avait commencé.

Mme Morin de Pouzay fut un peu déconcertée de voir la conversation rouler obstinément sur la configuration de son hôtel et sur l'emploi du temps

---

1. Aujourd'hui rue Blanche.

de ceux qui l'habitaient. Elle avait beau changer de sujet, on en revenait toujours à ses vestibules et corridors.

— J'ai vu votre pièce de théâtre, dit-elle, certaine d'avoir trouvé un thème irrésistible.

Comme l'écrivain ne voyait pas de quelle pièce elle voulait parler, elle précisa :

— Celle des Italiens.

Elle faisait allusion à la farce grotesque où l'on se permettait de caricaturer son œuvre sublime.

— Cela vous a-t-il plu, chère madame ? demanda-t-il avec une affabilité un peu crispée.

— J'ai bien ri.

Elle poussa quelques gloussements à l'évocation de cette bonne soirée. Voltaire se força à émettre lui aussi deux ou trois « hi, hi » pour rester à l'unisson avec sa pourvoyeuse de renseignements utiles. Enfin elle se décida à leur nommer tous les messieurs qui vivaient là. Il n'y avait d'ailleurs que cela, elle manquait de compagnie féminine.

— Vous n'avez pas de fille ? demanda la marquise.

Mme Morin en avait deux : l'une était mariée, l'autre au couvent. On remarqua qu'elle jetait des coups d'œil de côté. Voltaire suivit son regard et vit, sur la cheminée, une jolie horloge dorée à cadran émaillé.

— Nous abusons de votre temps, sans doute…

— Pas du tout. C'est que la séance a dû s'achever, mon mari ne va plus tarder.

Le Grand Conseil siégeait au Louvre. Combien de temps fallait-il pour traverser Paris à cette heure-ci ?

Parvenus l'un et l'autre à un résultat inquiétant, le philosophe et la marquise se levèrent : un repli rapide s'imposait.

Trop tard. L'épaisse silhouette de M. Morin de Pouzay obturait la double porte du salon. Âgé d'une cinquantaine d'années, il portait une perruque à gros rouleaux, mais raccourcie, afin de montrer qu'on savait être de son temps, et poudrée, pour se donner un air de noblesse et de maturité. Son pourpoint sombre et sévère était coupé dans un tissu chatoyant et coûteux. Son allure empruntait au notaire et au marquis : il n'était plus tout à fait l'un ni déjà vraiment l'autre. Cela ne l'empêchait pas de vous toiser avec plus de hauteur qu'un colonel à la tête d'un millier d'hommes. La moue de sa bouche et les plis qui l'encadraient ne lui conféraient pas cette expression d'un ami de la littérature que Voltaire eût aimé lui découvrir.

— Mon bon, je prenais le thé avec Mme du Châtelet, qui a eu la gentillesse de passer, dit la présidente.

— Et vous n'aviez pas vu Voltaire caché derrière ses jupes, supposa son mari.

Mme Morin de Pouzay tenta de l'adoucir en expliquant que l'écrivain quêtait pour les bonnes œuvres philosophiques à l'intention des analphabètes.

— Je ne connais pas d'œuvres philosophiques qui soient bonnes, répliqua le président. Quant à l'analphabétisme, il est le dernier rempart de la morale : la lecture engage le peuple à tous les vices.

— Avec l'alcoolisme, souligna Émilie.

— Et le relâchement des mœurs, ajouta leur hôtesse, très désireuse d'emmener la causerie vers des régions moins controversées.

— Et la déficience de l'éclairage public, renchérit Voltaire, ce qui créa un trou d'au moins dix secondes dans la conversation.

Le fantôme de la débauche populaire ramena le magistrat aux publications récentes.

— Comment se porte l'auteur des fameuses *Lettres diaboliques anglaises* ? demanda-t-il avec un frémissement de la narine caractéristique d'un conseiller d'État qui vient de faire un trait d'esprit.

L'intéressé sourit avec une affabilité très philosophique. Le président entendait la plaisanterie, tout espoir n'était pas perdu.

M. de Pouzay goûta assez son propre mot pour daigner s'asseoir avec eux. La marquise en profita pour vanter la vue bucolique sur le parc voisin dont on profitait par leurs fenêtres. Leur hôte plissa le front.

— Monsieur le duc a eu la bonté de venir lancer dans notre quartier cette mode des « folies » où se tiennent des réunions paillardes. Qu'est-ce que c'est que ces soupers qu'il ne peut pas donner chez lui, place Royale ? Honte à ceux qui s'y commettent !

Voltaire, pour une fois, lui donna raison sans la moindre arrière-pensée.

Les yeux de Mme de Pouzay avaient cette bonté déboussolée des femmes toujours déçues par les réalités de la vie ; son sourire même disait « je souffre ». À voir son mari, on comprenait de quoi.

Le président accepta une tasse de chocolat, bien que ce fût là « une boisson pour les mauviettes, les femmes et ceux qui les fréquentent ». Quand il la porta à sa bouche, on put remarquer, à l'un de ses doigts, une chevalière au blason tout pareil à certain relevé effectué sur un arrière-train charnu. Entre cela et les propos déplaisants du personnage, Voltaire se dit qu'il était en train de prendre une collation avec un assassin.

Les portraits de la descendance étaient exposés sur le palier, frères et sœurs rangés de manière à former l'image parfaite d'une sérénité familiale qui n'existe jamais qu'en peinture. Outre les deux jeunes femmes, on pouvait y voir l'aîné, le capitaine de Pouzay, deuxième chevalière, le cadet, l'abbé de Pouzay, troisième chevalière, et enfin le benjamin, le conseiller de Pouzay, chevalière aussi. Cette famille s'était donné pour but de soutenir la joaillerie française. Émilie nota l'insistance que mettait son ami à observer les bagues.

— Vos armoiries sont très élégantes, dit-elle. Que signifient le poulet et les couteaux ?

On lui expliqua que le coq rappelait le courage du chevalier de Pouzay au siège de Mansourah, lors de la septième croisade, et les épées, l'adoubement de leurs ancêtres Enguerrand et Thibaud par Louis le Lion soi-même.

Voilà qui sonnait mieux que le discours de l'héraldiste sur les volailles angevines, une heure plus tôt.

Voltaire sortit de là un peu irrité par les saillies spirituelles du président.

— Coupable, forcément coupable !

À voix basse, il demanda à Émilie :

— Avez-vous parcouru les corridors ? Y rencontre-t-on des assassins ?

Tous les indices menaient à cette famille : l'empreinte de leur bague dans la maison close, le meurtre chez leur voisin Richelieu, un affligeant manque de respect envers les penseurs modernes… Le problème était de choisir entre ceux qui vivaient là. Au moins pouvait-on exclure la mère, la nonne et la fille mariée : avec toute l'imagination du monde, Voltaire ne voyait pas une personne de leur sexe étrangler ou cribler de flèches un ripailleur.

Émilie était moins catégorique ; elle avait souvent éprouvé l'envie de l'étrangler ou de le changer en pelote d'épingles. Mais elle s'abstint d'en rien dire pour ne pas compromettre le regard énamouré dont il la couvait.

CHAPITRE VINGT-DEUXIÈME

Comment Voltaire ouvrit un lavoir
pour y laver le linge sale des autres.

Bien que fort occupé à surveiller les ressortissants des pays impliqués dans la succession de Pologne, Autrichiens, Russes, Saxons, ceux des innombrables principautés d'Allemagne, et même les Polonais de Paris, Hérault jugea que les résultats tardaient un peu, du côté de la rue de Longpont. Il chargea son adjoint Tamaillon de fouetter le mulet.

Le policier, homme aux épaules carrées qui ne devait pas souvent s'entendre dire « non », présenta au philosophe les salutations du seigneur son maître et déposa sur la table un texte repéré par leurs « mouches ».

— Je n'ai pas écrit ce livre, déclara Voltaire sans faire un geste.

Comme on attendait sans rien dire, il se décida à l'ouvrir.

— Ah. Si.

C'était un exemplaire de cette édition rouennaise des *Lettres philosophiques* censée ne pas exister. Le policier expliqua le cheminement qui avait conduit à la matérialisation d'un objet interdit par le Châtelet, par le gouvernement, par l'Église et par tout ce qui avait du pouvoir dans le royaume.

— Votre M. Jore a tellement peur de rentrer à Rouen, où nos hommes surveillent son commerce, qu'il se terre dans un galetas, avec vos œuvres en guise de matelas. Quand il a besoin d'argent, il vend deux ou trois tomes à un écu la pièce.

— Un écu ! répéta Voltaire.

C'était une fortune. Il y avait là de quoi faire des orgies de lentilles, s'offrir tous les clystères et toutes les vieilles perruques du monde. Il se demanda pourquoi il ne publiait pas lui-même. Le regard lourd du policier lui en rappela la raison.

Si l'un de ces volumes tombait entre les mains de Chauvelin, le garde des Sceaux échappé des enfers, son auteur pourrait se préparer à un long séjour dans un donjon mal chauffé. Par chance, M. Hérault avait un plan pour sa survie. Ce plan nécessitait que fût découvert au plus vite l'assassin qui se permettait de trucider la noblesse libertine.

— Les jansénistes, les jésuites, les meurtriers de tout poil ne veulent que ma mort, se plaignit Voltaire. Votre lieutenant général veut la mort de ma réputation.

Il exigea une audience.

— M. Hérault est accaparé par le conflit polonais, répondit Tamaillon.

— Et alors ? C'est une raison, ça ? Croit-il que je n'ai pas mes petits problèmes, moi aussi ?

Quant à lui donner du renfort pour contraindre les Morin de Pouzay à subir l'inquisition voltairienne, il ne pouvait en être question : monsieur le président au Grand Conseil était au-dessus de tout soupçon, lui, sa famille, ses gens, ses chats, ses chiens et le poisson rouge dans son bassin.

C'était donc un défi. On allait devoir tirer au canon contre cette forteresse noire hantée par quelque monstre inaccessible.

— Cependant…, dit Tamaillon.

— Oui ? fit Voltaire, plein d'espoir.

— Monsieur le lieutenant général m'a confié un message. Il vous recommande le numéro huit.

Sur ces mots, l'émissaire du Grand Châtelet salua et se retira, laissant un Voltaire éberlué par l'irruption inopinée de cette énigme mathématique. À quel numéro huit faisait-on référence ? À la huitième plaie d'Égypte ? Au huitième commandement ?

Linant entra dans la pièce comme une poule poursuivie par un renard.

— C'est la guerre !

Voltaire bondit hors de son fauteuil.

— Mes malles ! Une voiture !

Il avait tant de choses à sauver : ses manuscrits, les reconnaissances de dettes de ses débiteurs, sa tête…

— La guerre avec l'Autriche !

Il se rassit. On était bien sot de lui faire peur avec ce qui était, en fin de compte, plutôt une bonne nouvelle.

Émilie apparut, en manteau rose cintré, petit tricorne assorti, et ce qui ressemblait à un lapin mort autour du cou.

— Il faisait un peu frais, j'ai sorti les fourrures, dit-elle en déposant l'animal sur une chaise.

— Savez-vous la rumeur, ma chère ? Il paraît que nous avons la guerre.

Elle le savait mieux que lui. Versailles ne bruissait que de cela. Le cardinal de Fleury avait renoncé à attaquer la Russie, trop lointaine, trop glacée, trop pleine de moujiks. Il s'était rabattu sur l'allié de la tsarine, l'empereur Charles VI, souverain d'un territoire éclaté. La déclaration était joliment tournée :

> *L'injure que l'empereur vient de faire au roi de France en la personne du roi de Pologne, son beau-père, intéresse trop Sa Majesté et la gloire de sa couronne pour ne pas employer les forces que Dieu lui a confiées à en tirer une juste vengeance.*

La France, le Piémont et l'Espagne se partageraient la mission de sauver le trône de Stanislas. Pour sa peine, et quel que fût le résultat, la première recevrait la Savoie, le deuxième, le Milanais, et la troisième, le royaume de Naples.

— Et la Pologne, dans tout ça ? demanda Voltaire.

— La prendra qui pourra !

Le philosophe admira l'esprit de partage qui animait les Européens. Il eût souhaité disposer d'une astuce équivalente pour résoudre l'énigme du « huit » que M. Hérault jugeait à propos de lui soumettre. Devait-on s'attendre à voir les sauterelles envahir Paris ? Ou le message était-il : « Tu ne mentiras point » ?

Émilie était d'avis qu'il fallait plutôt jeter un coup d'œil au huitième conte du *Tabouret de Bassora*.

— Ce diable de *Tabouret* ! s'exclama Voltaire. Je l'oublie toujours !

Ce devait être par un désir sous-jacent d'oublier son auteur.

Le titre du conte annonçait « Le coq et les deux épées ». C'était l'histoire d'un mufti, d'un janissaire et d'un satrape qui se disputaient les faveurs d'une houri dont un derviche voulait faire sa moukère. Le janissaire, qui portait moustache et tirait sur un narguilé, l'emportait sur tous les autres car il avait, après comparaison, le sabre le plus long.

Si on lisait entre les lignes, le huitième conte désignait assez nettement le capitaine de Pouzay, moustachu galonné, soit comme victime, soit comme assassin. L'ennui, c'était que l'indice était fourni par le lieutenant de police. Si Hérault connaissait l'identité du coupable, pourquoi ne l'arrêtait-il pas, guerre polonaise ou pas ? Voltaire sentit qu'il y avait là une chausse-trappe vers laquelle on le poussait à deux bras.

Il importait d'en apprendre davantage sur ces Morin. Comment obtenir des renseignements intimes, nombreux, fiables et précis sur la maisonnée ? Il lui fallait un domestique, de préférence congédié : ces gens-là savaient tout, et quelques pièces encourageraient un bavardage qui était un penchant assez courant. Mais comment débusquer un valet dont la particularité était précisément de ne plus habiter là ?

— Pour vous trouver ça, il faudrait être fourbe, un peu vulgaire et capable de s'entendre avec le dernier des laquais…, dit Émilie.

— Je vais prier Dumoulin de s'en charger, dit Voltaire.

— Excellent choix ! approuva la marquise.

Dumoulin s'en fut interroger les artisans du quartier, les raccommodeurs de faïences, les savetiers, les porteurs de bois, les fontainiers. De retour de sa mission, il leur amena une grosse femme d'environ trente ans, aux joues couperosées par l'abus de mauvais vin.

— Je vous présente Mathurine, deux ans lingère chez vos Morin !

C'était assez pour tout savoir, trop peu pour leur vouer une fidélité à toute épreuve ; d'autant qu'elle avait été chassée sur l'accusation injuste d'avoir volé des couverts en vermeil.

— Le monde est-il méchant, compatit Voltaire.

— C'est bien vrai, dit la lingère en lorgnant le joli gobelet en argent posé sur la commode.

On la débarrassa de son petit bonnet et de sa cape en laine, on lui avança un siège, on lui offrit à boire et à manger. La marquise fut un peu défrisée de voir une fille de charge à la réputation douteuse s'asseoir en sa présence.

— Je suis sûr que notre bonne Mathurine a envie de goûter cette liqueur d'amandes, dit Voltaire. Auriez-vous la bonté de lui en donner, ma chère ?

Le dernier muscle encore mobile de la marquise se raidit. La veille encore, elle causait avec la reine sous des plafonds peints à l'antique. Aujourd'hui, elle servait à boire à une repasseuse dont même un gros bourgeois n'avait pas voulu chez lui. La poursuite de l'idéal philosophique exposait à des contrastes brutaux.

Voltaire laissa le temps à la lingère d'engloutir quelques biscuits, puis il aiguilla la conversation vers les Morin de Pouzay.

— Que pouvez-vous nous dire à leur sujet, ma chère ?

— Qu'ils sont radins, répondit la visiteuse en abattant sur les gâteaux sa main épaissie par l'usage du battoir.

Voltaire fouilla dans sa bourse et en extirpa à grand-peine une piécette qui paraissait collée au fond. La lingère fit grise mine : on lui avait donné de plus gros pourboires pour frotter les culottes des Morin que pour exposer leur linge sale.

— Voyons, dit la marquise, je crois que votre chère Mathurine aimerait mieux un petit souvenir qui lui rappelle avec quelle grâce vous l'avez reçue.

Elle saisit le joli gobelet d'argent et le posa devant la visiteuse. Celle-ci s'en empara avec des yeux de loutre affamée qui rencontre un gros hareng. Le festival des confidences indiscrètes put débuter.

Les trois fils intriguaient pour réussir. Le capitaine courait après une commanderie, le conseiller espérait une charge, l'abbé convoitait un bénéfice. Le président cravachait son petit monde afin que sa réussite satisfît un orgueil qui semblait insatiable. Même les dames devaient se plier à son ambition. Son épouse s'astreignait à l'ensemble des activités d'une personne de qualité, au nombre desquelles la messe, les visites mondaines et la charité. Émilie se réjouit d'avoir pour sa part des occupations telles que la physique, les sciences en général et Voltaire en particulier, même si ces points d'intérêt ne lui procuraient guère la considération universelle.

Chaque semaine, dans le parcours de ses bonnes œuvres, la présidente faisait une halte chez une nourrice qui élevait une fillette de deux ans. Elle y déposait des crèmes au miel et des brioches. Toutes les personnes présentes, lingère comprise, échangèrent un regard entendu : cela sentait l'enfant caché.

Détail curieux au sujet des demoiselles : c'était la cadette qui était mariée. D'ordinaire, on casait l'aînée et l'on poussait les puînées vers le couvent. Voltaire supposa que la nonne avait la vocation, ce qui, après tout, devait bien exister.

Mathurine laissa échapper un petit rire qui eût résonné de façon déplaisante aux oreilles des Morin. Elle doutait fort que la jeune femme eût éprouvé le moindre penchant pour la vie conventuelle. En un mot, elle avait des attitudes impudiques ; au point que, les derniers temps, on ne la laissait plus sortir. Elle n'avait fait que passer d'une réclusion à une autre.

— Une libertine…, murmura Voltaire.

Cela ouvrait des perspectives.

— Oui, enfin, c'était une dévergondée, si vous voulez mon avis, résuma la lingère.

Au reste, elle n'avait pas eu beaucoup d'occasions de la voir : peu après son entrée chez les Morin, la jeune évaporée avait été envoyée chez les Bénédictines du Champ-de-l'Alouette. Ce qu'elle savait, elle le tenait des autres domestiques.

Mme du Châtelet se demanda s'il était possible de faire venir de Constantinople ou de Tanger des esclaves qui ne pussent pas dégoiser sur leurs maîtres, par exemple parce qu'on leur aurait coupé la langue.

CHAPITRE VINGT-TROISIÈME

Où l'on voit des philosophes
sur des échelles.

Voltaire fit un rêve affreux. Il était devant un château gothique aux murs noircis par l'épaisse fumée de cheminées où les flammes dévoraient ses *Lettres philosophiques*. Sous leurs blasons, dont la peinture pas encore sèche coulait un peu, les Morin de Pouzay se donnaient la main pour danser la farandole autour d'une nonne en pleurs.

Il se réveilla en transpiration. Les lentilles à l'eau de la veille au soir n'étaient pas passées. Quelle folie que d'y avoir laissé cuire un bout de lard ! Voilà comment on changeait son estomac en champ de bataille et ses nuits en épreuves.

Il avait envoyé la marquise au couvent : le nom de Voltaire n'était pas un sésame pour se faire ouvrir les monastères. Émilie eut donc le plaisir, ce matin-là, de frapper à l'huis des Filles-Anglaises du Champ-de-l'Alouette, institution située près des Gobelins. Ces femmes la mettaient toujours un peu mal à l'aise, peut-être parce que leur vie de renoncement allait à

243

l'encontre de tout ce qui faisait la sienne. La règle autorisait à visiter une novice ailleurs qu'au parloir. Une bénédictine d'un certain âge l'introduisit dans la cellule de la demoiselle Morin.

Les cheveux de la recluse étaient aplatis et cachés, et pourtant elle n'était pas vilaine. Sa posture, en revanche, était déconcertante. Elle se tenait sur une chaise, face au mur, les bras ballants, immobile. Elle portait un voile blanc impeccablement défroissé, comme une grande nappe posée sur une table. La marquise eut l'impression qu'on le lui avait mis et qu'on le lui ôterait au moment de la coucher. Une minuscule croix en bois pendait sur sa gorge couverte.

— Mademoiselle de Pouzay ?

Ce visage était aussi inexpressif qu'une empreinte mortuaire en plâtre. Elle n'avait pas la moindre ride, ce qui lui donnait quelque chose de bizarrement angélique. Deux yeux de chatte, fixes et effilés, regardaient Émilie sans la voir. On pouvait se demander s'il existait une conscience derrière ce front lisse et bombé. Cette femme aurait pu être une sainte. C'était une folle.

La relégation dans une pièce étroite n'était sûrement pas bénéfique. On l'avait enterrée vive. Son existence devait déranger le beau projet des anciens bourgeois Morin devenus « Très hauts et puissants seigneurs de Pouzay ». Émilie avait déjà eu l'occasion de constater que la vanité va souvent de pair avec un certain manque d'amour, peut-être parce que ceux qui en sont frappés consomment à leur profit toute l'admiration dont ils sont capables. Qu'eût-elle fait, à leur place ? Les fruits d'un mariage arrangé venaient sans qu'on y pense.

La bénédictine referma la porte sur la muette.

— Les familles nous confient les sourdes, les idiotes, les folles et les lubriques, conclut-elle.

— Dites-moi, ma sœur, à quelle heure vous autorise-t-on à jouer aux cartes ? demanda Émilie, une fois à la porterie.

— Jamais nous ne jouons aux cartes ! s'offusqua la nonne.

La visiteuse quitta cet endroit sans regret.

À l'hôtel de Pouzay, Voltaire s'entendit annoncer que monsieur n'était pas là. Madame n'y était pas non plus. Ni monsieur le conseiller, ni monsieur le capitaine, et encore moins monsieur l'abbé. Tous les Pouzay du monde s'étaient éparpillés, la maison était vide et la porte aussi verrouillée que si l'on avait soudé les gonds. Le nom de Voltaire avait apparemment cet effet sur les jolies ferrures toutes neuves.

Il aurait bien déclaré qu'il devait établir lequel de ces messieurs trucidait les gens à travers Paris – il penchait *a priori* pour l'abbé –, mais il eut l'impression que c'était justement la raison pour laquelle on ne lui ouvrait pas.

Il se tourna vers une maison où on l'accueillait toujours volontiers, où jamais on ne lui faisait mauvaise figure, où les gonds étaient parfaitement huilés : celle des du Châtelet, rue Traversière.

Émilie rentrait de sa visite chez les bénédictines anglaises, ce havre de paix, de prière et de démence.

Son récit plongea le philosophe dans une intense réflexion d'au moins deux minutes.

— Ma chère amie, pensez-vous que notre bon Richelieu aura besoin de sa résidence des champs, ces deux jours à venir ?

Elle espéra que Voltaire n'avait pas l'intention d'organiser un souper adamique : la fraîcheur d'octobre ne se prêtait guère aux fantaisies déshabillées. Il lui dicta un mot ruisselant de gentillesses et d'amabilités, à la lecture duquel leur cher ami ne pourrait mieux faire que de leur ouvrir ses salons, ses boudoirs, ses cuisines et sa cave.

Il était déterminé à mettre la main sur l'assassin. Il avait beau écrire à Jore – du moins quand ce dernier avait une adresse – pour lui enjoindre de cacher ses *Lettres* au plus profond du puits le plus obscur, le libraire, dont il découvrait trop tard les instincts de lucre, s'obstinait à les répandre dans toutes les ruelles où les amateurs de philosophie, de beau style et de scandale acceptaient de les lui payer en or. Émilie supposa que cela tenait à son métier : marchand de livres.

Par retour du courrier, le duc leur fit savoir qu'il s'absentait pour aller faire sa cour à Louis XV : la guerre qui s'annonçait serait l'occasion de sauter directement du grade de capitaine à celui de maréchal. Ces préoccupations triviales l'empêcheraient de partager avec eux le séjour de sa folie de Clichy, dont il leur abandonnait volontiers l'usage pour le temps qu'ils voudraient. D'évidence, monseigneur regrettait de manquer des parties fines où on lirait du Platon en titillant les bouts de seins des dames. Émilie en fut affligée : à force de fréquenter les philosophes, on finirait par la prendre pour la coureuse la plus délurée de Paris.

Voltaire avait la ferme intention de rudoyer les Morin : un bœuf dolent gagnait à être fouetté. Il possédait pour cela un conte oriental tout à fait efficace.

— Nous allons jouer au shah et à la houri !

Ils se transportèrent rue du Coq, répandirent leurs bontés sur le vieux gardien et prirent leurs quartiers dans des appartements confortables, quoique décorés avec un goût particulier. Linant fut ébahi par la profusion de nymphes et de satyres peints sur les paravents de soie, moulés dans la porcelaine, sculptés dans les marbres du parc, si bien que mollets et tétons émergeaient des buissons comme si le promeneur eût dérangé une bacchanale.

— C'est… c'est… c'est l'enfer ! bredouilla-t-il, les joues écarlates.

— Oui, nous y serons très bien, dit Voltaire. Je compte faire triompher l'ordre philosophique à partir de ce refuge !

Le triomphe de l'ordre philosophique nécessitait l'emploi d'une échelle, que l'on posa contre le mur du jardin mitoyen. L'écrivain prit soin de fixer sur son tricorne quelques rameaux arrachés aux bosquets de monseigneur, si bien qu'on l'eût aisément confondu avec un arbuste dans lequel eût été égarée une perruque à marteaux.

— J'ai besoin de vos compétences, dit-il à Linant.

L'abbé lui-même en fut étonné ; il ne s'était pas encore découvert de compétences, mais il est vrai qu'il ne mettait pas une grande assiduité à s'en chercher.

Le mystère se dissipa : il savait écrire, on entendait le mettre à la copie. Voltaire souhaitait disposer de plusieurs exemplaires du huitième conte du *Tabouret de Bassora*, ouvrage si ardu à se procurer. Le récit avait beau être assez bref, cela faisait quand même bien des écritures. Linant glissa un œil du côté de la marquise.

— Je n'ai pas l'intention de me tacher les doigts pour si peu, déclara-t-elle sans se détourner de son ouvrage.

Elle était accaparée par la transformation d'un agencement de baguettes et de cordelettes en une mécanique dont l'abbé n'entrevoyait pas la destination. Il se résigna à gagner ses table et écritoire pour des travaux de copiste qui, au vrai, faisaient l'essentiel de sa contribution à l'émerveillement intellectuel de ses contemporains.

Ils se relayèrent tous trois sur l'échelle durant une bonne partie de la journée. Le valet qui leur apportait les rafraîchissements estima que les amis de monseigneur avaient des lubies de plus en plus fantasques.

Ainsi perché, on dominait la cour des Morin de Pouzay, dont aucun recoin n'échappait à l'œil de la chouette dissimulée par son buisson-chapeau. Dès qu'un membre de la maisonnée approchait seul, il fallait lui jeter un exemplaire du conte, en visant aussi bien que possible. Jamais Voltaire n'avait trouvé si difficile d'atteindre ses lecteurs. La marquise, qui s'entendait mieux à calculer l'orbite des corps astraux qu'à les propulser, fut tancée pour avoir perdu dans le puits l'un de leurs précieux projectiles, au détriment de leur enquête et de la cause.

— Psst psst ! fit Voltaire. Passez-moi vite un conte ! Je vois le conseiller qui vient !

Le modèle de l'instrument mis au point par la marquise venait d'une gravure prise dans *Le Journal des Sçavans*, périodique où l'on trouvait de tout. Elle avait bâti une sorte de catapulte qui permettait de faire voler la littérature libertine jusque sur le territoire de la morale bourgeoise étriquée.

Un rouleau de papier chut aux pieds de monsieur le conseiller, qui le ramassa et regarda autour de lui en se demandant de quelle lune cet extrait de prose condamnable avait pu tomber. Cachés derrière leur mur, les compères cochaient les noms sur un carnet, de manière à s'assurer que chacun de leurs bons Morin avait eu sa lecture.

La mèche allumée, il n'y avait plus, croyait-on, qu'à attendre l'explosion qui ne pouvait manquer de suivre. Ils établirent un tour de garde. Vint la nuit, une douce nuit de début d'octobre émaillée d'étoiles.

— Pardonnez-moi, dit le valet en apportant les tisanes aux trois conjurés dont un, sur l'échelle, épiait les voisins à la longue-vue. Vos Seigneuries ne vont-elles pas ôter leurs vêtements pour jouer à pince-fesse à travers les salons ?

On lui répondit que l'on avait des plaisirs beaucoup moins classiques. Le serviteur hocha gravement la tête et s'en retourna en songeant que l'immoralité prenait décidément les formes les plus variées.

Linant, qui avait ouï parler de la soirée adamique, se permit une fine plaisanterie sur les dames qui s'exposaient à prendre froid entre ces murs. La marquise jugea qu'il passait un peu vite de la pruderie aux allusions grivoises.

— Vous n'avez pas une messe à dire quelque part, vous ?

L'abbé s'en fut allumer du feu dans le salon pour y entamer la nuit dans un fauteuil, grignoter les pâtisseries de Richelieu et masser ses mains ankylosées par des travaux de copie dignes d'un moine enlumineur.

— Pourquoi gardez-vous ce garçon ? demanda Émilie à la vigie debout sur son perchoir. Il ne sait rien faire, il n'a que des défauts et traîne avec lui un reste de religion tout à fait agaçant.

— J'ai décidé de faire son éducation, répondit le fanal de la réflexion, la lorgnette braquée sur la maison des Morin.

Elle hocha la tête. Sa générosité le perdrait.

Dans la maison d'en face, les lumières s'éteignirent une à une. Ce n'était pas le genre d'endroit où on laissait la chandelle brûler toute la nuit pour éclairer une partie de cartes, une causerie galante ou un souper égrillard.

Émilie rentra se mettre au chaud. Comme elle n'avait pas l'intention de passer la nuit en tête à tête avec l'abbé stupide, elle lui indiqua qu'il était temps de relayer son maître : un dévouement absolu était peu cher payer l'accès au savoir et à quelque chose de plus qui se nommait Voltaire.

Celui-ci était sur le point de quitter ses sommets quand un cri terrible perça les ténèbres. Il se fit un grand remue-ménage au bout de sa longue-vue. Des lumières s'allumèrent à divers étages. On courait, on appelait, on se fâchait. La sérénité qui prévalait dans cette forteresse se fissurait de seconde en seconde.

Voltaire dévala son échelle. L'ennemi était en déroute, il était temps de charger. Il voulut battre le rappel de ses troupes, mais ne vit plus Linant. Récupérer l'abbé prit un petit moment : il se préparait au combat, courageusement pelotonné derrière un if, à l'autre bout de l'allée.

— Pardonnez-moi, dit-il en se relevant. Je n'y peux rien : dès qu'il y a du danger, mon réflexe est de m'enfuir.

— C'est parce que vos pieds pensent plus vite que vous, dit Voltaire.

CHAPITRE VINGT-QUATRIÈME

*Où l'on cherche un scorpion
dans un nid de vipères.*

Voltaire n'eut pas le cœur de réveiller la marquise, qui s'était assoupie sur le sofa, près de la cheminée. Les deux hommes se présentèrent seuls à la porte des Morin. Le lourd battant de chêne renforcé paraissait inébranlable.

— Croyez-vous qu'on nous ouvrira ? dit l'abbé.

— Non. C'est pourquoi nous n'allons pas frapper.

La porte s'ouvrit en effet toute seule. Un serviteur s'échappa pour une course urgente. Voltaire en profita pour glisser son pied dans l'embrasure.

— Empêchez quiconque de s'enfuir, enjoignit-il à Linant, une fois dans la cour. Au besoin, faites barrage avec votre corps.

— Je vais périr de froid ! protesta l'abbé.

— Mais non, regardez, il y a là une remise avec du foin et un gros cheval tout chaud, vous serez très bien.

L'écrivain le laissa réfléchir, sous l'œil vague du cheval, à la façon de bloquer la sortie sans risquer bleus et bosses, et s'engagea avec résolution sur le terrain des assassins de bonne tenue.

La maison était aussi désemparée que Constantinople à l'arrivée de Mehmet II. De toutes parts résonnaient des cris, des plaintes, des cavalcades. Voltaire saisit l'occasion d'un valet qui traversait le vestibule, muni d'une chandelle, pour gravir après lui les degrés de l'escalier.

À l'étage, un vent de panique soufflait. Le président était en chemise, les jambes nues, la présidente avait une charlotte sur les cheveux, les autres étaient à l'avenant. On s'empressait autour d'un blessé à la manche déchirée, dont on s'efforçait d'entourer le bras gauche d'un linge déjà écarlate.

On s'était attendu à recevoir le chirurgien. L'apparition de Voltaire à cette heure tardive fut une surprise. Les Morin regardèrent avec des yeux ronds le lutin habillé de pied en cap qui se comportait comme en visite.

— Voltaire ! Il ne manquait plus que vous ! Un impie ! Jetez-moi ça dehors ! ordonna le président à ce qu'il restait de serviteurs debout sur leurs jambes.

De sa canne, l'intrus tint à distance l'unique valet qui osa bouger.

— Je ne suis pas impie, je suis chrétien comme saint Thomas : j'ai besoin de voir, et même de toucher. Amenez-moi Dieu, faites-le-moi toucher, et je croirai en lui tant que vous voudrez.

Il fallait être Voltaire pour dire « Amenez-moi Dieu ». Les vrais chrétiens se déplaçaient eux-mêmes.

Il affirma avoir été victime de l'assassin et proposa

de les faire profiter de son expérience, qui était importante.

— On s'en prend toujours à moi parce que je suis le flambeau de la liberté !

— D'où cette envie d'allumer des fagots sur votre passage, dit M. de Pouzay, qui eût volontiers battu le briquet.

Le blessé poussa un cri tandis que l'on manipulait son bras meurtri. Voltaire se pencha sur le patient au centre de l'attention générale. Monsieur le conseiller avait reçu dans le gras du biceps une estafilade qui ne mettait guère ses jours en danger. Il avait été attaqué dans sa chambre, à la faveur de la nuit, par un inconnu qui rôdait peut-être encore entre ces murs, si bien que chacun s'efforçait de rester dans le faible halo des chandelles. Le second fils avait eu son édredon pourfendu par ce qui ressemblait fort à un coup d'épée. C'était miracle si personne n'était mort. Curieusement, le troisième, l'abbé, paraissait de beaucoup le plus effrayé.

Le président s'étonna de ne pas voir le commissaire du quartier accourir pour régler ses tracas domestiques.

— Vous savez bien que nos policiers sont trop occupés à démasquer les faux sorciers et à faire la morale aux actrices, dit Voltaire. Mais consolez-vous : vous m'avez, moi !

Le président eut une courte syncope. Quand les brumes rouges se dissipèrent, il baissa les bras. Puisque les édiles étaient accaparés, autant autoriser le turlupin à hanter ses corridors ; avec un peu de chance, le monstre s'abattrait sur lui.

L'enquêteur les pria de regagner leurs chambres et de laisser le champ libre à ses investigations.

— Souvenez-vous que c'est une demeure honorable, ici ! dit M. Morin avant de disparaître dans ses appartements.

— Oui, oui, dit Voltaire. Une demeure honorable où l'on se fait étriper entre ses draps.

Une fois chacun claquemuré, il pria les valets de patrouiller dans les couloirs avec des lanternes. Ainsi, les survivants pourraient s'étendre en paix, à défaut de dormir, et il mènerait ses recherches sans être dérangé.

Enfin la maisonnée se livrait à ses questions ! Que n'avait-il fallu faire pour en arriver là ! Et même provoquer un assassin !

Il débuta sa tournée chez le capitaine à moustaches. Ce dernier avait revêtu son bel uniforme bleu et blanc tout garni de boutons argentés, la tenue appropriée pour recevoir un ennemi résolu à vous tuer. Il ne se coucherait plus cette nuit-là, pas après que son matelas eut servi d'exutoire aux furies d'un inconnu. Incapable de trouver le sommeil, il tirait sur sa pipe, une habitude de militaire qui s'ennuie en attendant que l'armée d'en face veuille bien le sortir de sa torpeur. Voltaire regarda l'édredon pourfendu.

— Dites-moi… Vu l'emplacement de cette échancrure, je m'étonne de ne pas vous trouver mort en dessous.

C'était donc que le lit était vide au moment de l'attentat. La nuit était encore sombre. Que faisait monsieur le capitaine, debout, tout seul, dans le noir ?

Il n'était ni debout, ni tout seul : il était bien

couché, mais dans le lit de quelqu'un d'autre. Celui de la fille de cuisine, pour être exact.

— Cette jeune personne vous a sauvé la vie, dit Voltaire, faites-lui donner une prime.

À la réflexion, un amateur de chair fraîche était un bon candidat pour le rôle d'habitué des maisons de passe. Voltaire lui demanda s'il était allé rue du Vert-Bois, ce que le capitaine admit volontiers. Au regard des événements récents, la fréquentation des femmes publiques paraissait anodine ; il avoua même s'être trouvé dans le lupanar lorsqu'un client s'était effondré sur le tapis en pleine danse du ventre.

Il ne restait plus qu'à lui demander s'il se connaissait en tabourets de Bassora.

— Encore cette chose ! s'exclama le militaire.

Il saisit l'écrivain par sa cravate bouffante et lui parla tout près. L'odeur de tabac brûlé qui sortait de sa bouche évoquait le rôti de porc caramélisé.

— Écoutez ! Le fou de cette nuit m'a jeté un extrait de ces saletés par-dessus le mur ! Si j'attrape ce maniaque, je jure de lui passer mon épée à travers le ventre !

Voltaire approuva du menton ce beau projet, se dégagea et remit de l'ordre dans ses dentelles malmenées par la chiourme. Pourfendre les gens était la grande obsession de cette famille.

Avant de s'enfuir du bousin, monsieur le capitaine avait pris le temps de jeter un coup d'œil sur le cabinet rouge, où gisait le client. Dans un accès de curiosité, il avait ramassé le livre salace qui traînait près du corps, sans se douter que son geste pouvait avoir de fâcheuses conséquences pour la police, pour l'augmentation de la criminalité parisienne et pour la tranquillité des réformateurs de génie.

Voltaire fit un pas en arrière, un peu à cause de l'odeur, et aussi par instinct de conservation. Ce n'était plus un candidat au meurtre, qu'il avait là, c'était un coupable. Le capitaine avait eu l'occasion d'attaquer son frère dans la chambre à côté, il détenait le roman dont s'inspirait l'assassin, il maniait l'épée, il avait une poigne de fer, il ne montrait aucun respect pour la personne des philosophes… Que demander de plus ?

— Puis-je vous demander le livre ? dit l'écrivain en mesurant de l'œil la distance à parcourir pour rejoindre la patrouille dans le couloir.

— Je ne l'ai plus, déclara le fumeur de pipe en propulsant un nuage blanc par ses narines en fût de canon.

Le Tabouret de Bassora était certes amusant comme relique d'un crime, mais, comme lecture, monsieur le capitaine s'en tenait à celle du tableau d'avancement militaire : tout document de plus de dix pages fatiguait son intérêt. Il avait abandonné l'ouvrage à quelqu'un que ce genre de texte intriguait davantage.

— À qui ? cria Voltaire.

L'officier eut un mouvement de recul comme devant un Turc cimeterre au poing.

— Mon frère me l'a confisqué.

— L'abbé ! J'en étais sûr ! dit Voltaire, qui triomphait.

Il fila vers la chambre de ce dernier, prêt à braver les forces de l'intolérance et du crime réunies, et tambourina contre le battant.

— Ouvrez ! Je sais tout !

Le prêtre parut en vêtement de nuit, la mine ahurie, et s'excusa : il était en train de prier la Sainte Vierge et ne pouvait s'interrompre avant l'*hora mortis nostrae*.

— Foin des manœuvres dilatoires ! coupa le philosophe en forçant le passage.

L'abbé referma derrière lui, très mal à l'aise. Il convint sans trop de peine de ce qu'il avait eu cet affreux *Tabouret* entre les mains, mais prétendit s'en être défait au plus vite.

— Monsieur l'abbé, dit l'enquêteur, votre frère le bretteur saute dans les draps de tout ce qui porte jupon ; vous-même, vous détenez des livres indécents ; je suppose que votre puîné, le conseiller, entretient un harem de fillettes pré-nubiles ?

L'abbé de Pouzay se raidit sans que Voltaire pût définir si c'était à cause de l'allusion aux femmes faciles, au recueil infâme ou aux gamines. Il affirma qu'il avait remis le florilège de contes lubriques « à qui de droit ». Restait à savoir qui, à ses yeux, était en droit de récupérer ce parangon de l'intempérance. Au bord du malaise, il épongeait son front moite avec un grand mouchoir. Voltaire fit usage du pouvoir dont il était investi.

— Allons, mon enfant, il faut soulager votre conscience. Parlez sans crainte. Héraclite vous écoute, il vous comprendra.

C'était là un clergé auquel le religieux ne s'attendait pas. Sa conscience, qui ployait sous la charge, céda au culte de la raison, et Voltaire confessa monsieur l'abbé.

Ce qu'il entendit le navra.

— Je vois.

Heureusement, la confession philosophique ne l'astreignait pas au secret, mais seulement au tact et à l'élégance. Déjà l'abbé regrettait d'en avoir dit davantage qu'il ne l'eût souhaité – c'est-à-dire qu'il eût souhaité ne rien dire du tout.

— À cause de vous, prétendus philosophes, notre temps passera à la postérité comme le « siècle des Débauches » !

Il poussa son visiteur dehors et claqua la porte. Voltaire abandonna à ses fantômes ce prêtre qui manquait décidément de lumières.

Plutôt que de déranger le président, qu'on entendait ronfler depuis le palier – si la philosophie enseigne quelque chose, c'est qu'il ne faut pas réveiller un ours qui dort –, il alla frapper chez le conseiller, dont les griffes étaient sûrement moins acérées et le coup de patte moins lourd.

Le jeune blessé cria que c'était ouvert. La lueur de la bougie éclairait la moitié de sa figure blafarde. Puisque son père avait accepté l'assistance de cet étranger, il voulut bien résumer une fois de plus l'agression dont il avait été victime. Éveillé par un craquement du parquet, il avait vu l'ombre d'un homme debout devant son lit. Tout juste avait-il réussi à dévier le coup.

Il semblait qu'un fanatique s'était mis en tête d'embrocher tous les Morin au cours de cette même nuit. Voltaire avisa une petite bibliothèque pleine de livres de droit, utiles au conseiller dans ses travaux parlementaires. Il y avait là des traités de toutes les juridictions applicables dans le royaume, fort nombreuses en ces temps où la loi n'avait pas été unifiée. Il demanda s'il connaissait un recueil intitulé *Le Tabouret de Bassora*. Monsieur le conseiller répondit qu'il ne savait pas le droit persan. Ses traits étaient crispés par la fatigue et par la souffrance. L'enquêteur renonça à le tourmenter plus longtemps et le laissa reposer.

Il alla s'asseoir dans le petit salon où l'avait reçu la présidente, fit allumer du feu et s'enveloppa dans une couverture pour récapituler ses observations aussi confortablement que possible.

CHAPITRE VINGT-CINQUIÈME

Où certains se repaissent de lentilles
fort indigestes à d'autres estomacs.

Lorsqu'un valet réveilla Voltaire en lui tapotant l'épaule, le jour s'était levé et la police piétinait dans le vestibule.

Un instant avait suffi à l'œil exercé du commissaire du faubourg Montmartre pour constater à quel point la maisonnée était bouleversée. On ne s'était guère mis en état de le bien recevoir. Tout juste avait-on ôté les bonnets de nuit et noué des robes d'intérieur sur les chemises. Monsieur roulait des yeux furibonds, madame était effarée, l'un des fils crachait de la fumée comme un poêle encrassé, un autre marmonnait du latin, le troisième, livide, le bras en écharpe, tenait à peine sur ses jambes. Au milieu de cet aréopage calamiteux trônait un olibrius aux apprêts un peu désuets, souriant et émacié.

— Nous avons ici M. de Voltaire…, dit le président avec un geste las en direction d'icelui.

Le commissaire s'expliqua mieux leur accablement.

— Et vous m'avez fait appeler. Comme je vous comprends.

On fit servir un déjeuner pour discuter de leurs déboires. M. de Pouzay convia le policier à prendre une tasse de café, de chicorée ou de ce qu'il voudrait. Voltaire, qu'on n'avait pas invité, s'assit d'autorité et pria un valet de lui beurrer ses tartines.

— Avez-vous des lentilles ?

Il annonça son intention de récapituler les événements depuis le début.

— Et pourquoi sauriez-vous mieux que moi ce qui s'est passé ? s'insurgea son hôte, qui n'était pas homme à se laisser tirer les poils de sa perruque.

— Parce que je suis ces questions depuis l'origine, répondit le philosophe en tendant sa tasse à remplir. Voyez-vous, c'est ici l'histoire d'un livre.

Crébillon père, un roué, un néfaste, en un mot un malotru qu'aucune injure n'arrivait à définir, appâté par le gain que procurait la rédaction de saletés indignes d'un véritable prosateur, s'était lancé dans la composition d'un ouvrage dégoûtant intitulé *Le Tabouret de Bassora*.

Il fit une pause et observa ses commensaux pour voir si quelqu'un bronchait. Ce fut en vain, on était au-delà du bronchement.

L'âge n'ayant pas ménagé la faible inspiration d'un tâcheron décrépit dont l'inventivité n'avait jamais été le point fort, Crébillon père avait fait le tour des lieux de Paris décorés à l'orientale. Pour les péripéties salaces que les amateurs s'attendent à trouver dans ce genre de récit, il avait récolté tous les cas pendables venus à ses oreilles et les avait ramassés en un florilège à la sauce persane.

La présidente cachait sa confusion derrière sa serviette.

— Je ne vois pas en quoi ces insanités nous regardent, dit son mari.

— Demandez à vos fils, répondit son hôte, ravi de voir qu'on lui apportait un reste de lentilles au pied de porc – il n'y avait donc pas que du mauvais dans cette maison.

Le président reporta son attention sur les trois intéressés. Le capitaine avait l'œil rond et fixe d'une truite prise dans le fanal d'un pêcheur à la lanterne. L'abbé gardait le nez baissé sur son assiette. Le conseiller dardait sur Voltaire un regard qui tenait beaucoup du carreau d'arbalète.

Ayant retiré de son plat le pied de porc et goûté les lentilles, leur interlocuteur reprit son discours. Il raconta comment monsieur l'officier avait été témoin d'un décès dans la maison close, comment il avait eu la fâcheuse idée de ramasser un livre honni, et comment il avait relaté l'événement à son abbé de frère, qui lui avait confisqué l'ouvrage.

— Pas pour mon usage ! se défendit l'homme d'Église devant les expressions réprobatrices dont il était la cible.

— Pour qui ? demanda le commissaire du quartier, que cette histoire de fous commençait à amuser.

Redevenu muet, le religieux s'abîma dans la contemplation de sa tasse vide.

— Pour monsieur, dit Voltaire, la bouche pleine, en pointant le pied de porc sur le conseiller. Notre abbé s'est dit que ce livre condamné par la justice devait regagner les mains des autorités. Il ne vous l'a pas remis à vous, monsieur le président, parce que tout le monde vous craint. Au point de ne pas vous avertir quand des faits troublants ont commencé à se produire, par exemple le meurtre survenu chez votre voisin, le duc de Richelieu.

M. de Pouzay sursauta.

— Comment ! Il se commet des meurtres à deux pas de chez moi et je n'en sais rien ?

— Bien d'autres choses se commettent encore plus près, dont vous ne savez rien, reprit Voltaire.

Il se tourna vers le conseiller et lui demanda ce qu'il avait fait du *Tabouret de Bassora*.

— Jamais je n'ai eu ce livre ! s'exclama Morin cadet.

Le pied de porc s'agita de gauche à droite.

— Il est dans votre bibliothèque, entre les « Droits honorifiques » et la « Jurisprudence régalienne », sous la fausse reliure où l'on a inscrit « Jugements féodaux de la Beauce ». Il n'y a jamais eu de féodalité en Beauce. Il s'avère que j'ai, moi aussi, étudié ces questions, à mon corps défendant.

Ces mots avaient rendu au conseiller toutes ses couleurs, et même son énergie. Il bondit sur ses pieds. Le commissaire se leva aussi, lui ordonna de se rasseoir et pria le maître de maison d'envoyer chercher le livre. Un valet revint avec une édition de règlements judiciaires très peu orthodoxe.

— La culture, c'est tout, dit Voltaire en sauçant à l'aide d'un bout de pain l'accompagnement des lentilles, un sourire de ravissement aux lèvres.

Le président était abasourdi.

— Voyez-vous, reprit l'écrivain, pour quelque sombre raison que vous connaîtriez si vous accordiez de l'intérêt aux problèmes des gens qui vivent chez vous, votre jeune homme s'est pris de haine pour les libertins.

— Il a raison ! approuva son père.

— C'est son droit. Hélas, cette détestation l'a conduit à vouloir les exécuter un par un dans les modalités prévues par Crébillon. L'inspiration a fondu sur lui quand il a appris la punition immanente qui avait frappé le détenteur du livre dans un boudoir à la turque. Il s'est essayé au tir à l'arc sur le marquis de Volpatière, qui batifolait dans une maisonnette de Charonne. Il a sauté le mur de Richelieu pour étrangler le chevalier de Seraincourt après lui avoir bourré la bouche de ses propres loukoums.

Voltaire retira de la sienne un morceau de porc trop coriace.

— Ces allégations demandent à être vérifiées, dit le commissaire. Et puis, elles ne nous expliquent pas les forfaits de cette nuit. C'est monsieur le conseiller qui a été attaqué, je vous le rappelle.

— Que non ! Il venait d'inclure le capitaine dans son parcours du crime. Il l'a raté grâce à la fille de cuisine – donnez-lui vingt louis. Son coup manqué, il s'est infligé à lui-même une estafilade afin d'écarter les soupçons.

Le visage de Mme de Pouzay émergea de la serviette.

— Pourquoi mon fils s'en serait-il pris à son frère ?

— Mais parce qu'il est dans le livre ! J'ai le regret de vous informer que votre aîné est un libertin notoire. Vous lirez son portrait au chapitre huit, en culotte bouffante. Hier au soir, une main anonyme en a placé une copie sous les yeux de votre pourfendeur de joyeux lurons. J'ai lieu de croire que les bons passages y étaient soulignés. Monsieur le conseiller n'a pas été long à comprendre quel galant militaire avait servi de modèle. Je connais d'autres victimes, ô combien innocentes, qui ont échappé de peu à ses furies !

— Folie ! s'écria le président. Jamais vous ne me ferez croire que mes enfants sont dénaturés au point de s'entretuer !

Voltaire se tourna vers le religieux.

— Qu'en pensez-vous, monsieur l'abbé ?

Celui-ci répondit sans lever les yeux de son assiette.

— Je ne peux rien dire, je suis tenu par le secret de la confession.

Le président contempla son successeur, celui qui aurait dû perpétuer la tradition familiale, la magistrature, la robe.

— Mais… pourquoi ?

— Si j'étais votre fils, dit Voltaire, je crois que j'aurais envie de tuer des gens, moi aussi. Dites-moi, qu'en est-il de votre fille aînée, Mlle Rose ?

— Qu'est-ce que ma fille a à voir avec ça ? Elle prépare sa profession de foi chez les bénédictines.

— Elle a tout à y voir.

Il vit du coin de l'œil le conseiller évaluer quel couvert serait plus propre à être enfoncé dans la poitrine d'un philosophe, du couteau à beurre ou de la fourchette à gâteau. Il se hâta de conclure avant de subir un assaut à la petite cuiller. Il y avait eu Rose, la sœur restée dans l'enfance, circonvenue par des voyous, engrossée dans le kiosque des Champs-Élysées, privée de son enfant, enfermée au couvent, où elle avait perdu le peu qu'elle avait de raison.

Le visage de la présidente avait disparu dans la serviette. Seul le mouvement de ses épaules trahissait son émotion. Le président se dressa et tendit l'index vers son cadet.

— Tu as jeté la honte sur notre famille !

La serviette de sa femme glissa sur le plancher. Mme de Pouzay perdait connaissance. Ses enfants – ceux qui n'avaient pas tenté de s'entretuer et qu'on n'avait pas enfermés chez les nonnes – se précipitèrent pour la soutenir. Le président réclama des sels à cor et à cris. Le conseiller profita de l'agitation générale pour se ruer dans les escaliers, au grand dam du commissaire, coincé de l'autre côté de la table, dont les protestations furent couvertes par les appels à l'aide. Voltaire supposa que le jeune homme ne fuyait pas tant la justice que les foudres paternelles, insupportables même aux déments. Il ôta sans se hâter le carreau de tissu coincé dans son col et s'en fut regarder par la fenêtre.

Un moment plus tard, après qu'on eut transporté madame dans sa chambre, le lieutenant général Hérault posa son soulier verni sur le palier du premier étage. Averti par son commissaire qu'il s'était produit un drame chez les Morin, il s'était dit que la situation de leur demeure, à la lisière du domaine Richelieu, justifiait un petit détour.

Il demanda pourquoi il y avait, dans la cour, un homme en chemise étendu sur le pavé et un abbé en col blanc, armé d'une pelle à foin, qui semblait fort satisfait de son exploit.

CHAPITRE VINGT-SIXIÈME

Voltaire fait preuve de modestie et n'en reçoit que de modestes éloges.

Voltaire descendit dans la cour des Morin, où Linant brandissait sa pelle comme Hercule sa massue après la victoire contre le géant Géryon. Le nouveau héros mythologique reçut l'ordre de continuer à prodiguer ses bienfaits.

— Cette pauvre Mme de Pouzay a besoin de vos secours. Faites entrer un peu de piété dans cette famille. Il y a un reste de collation dans la salle à manger.

Mieux valait livrer aux appétits du combattant la réserve de biscuits des Morin plutôt que celle de la rue de Longpont : quand Linant était content de lui, sa goinfrerie ne connaissait plus de bornes. Plus bas, il le pria de lui faire préparer un petit paquet avec le reliquat des lentilles.

Comme il s'en allait, l'écrivain s'entendit héler.

— Hep ! Arouet !

Si l'interjection ne convenait guère à un brillant philosophe qui venait de démêler une affaire des plus tortueuse, Voltaire crut déceler dans l'œil du lieutenant général l'esquisse d'un sentiment qui pouvait s'apparenter à de l'admiration. Tout en marchant, ils échangèrent leurs points de vue.

— Où sont-ils, ces pères qui ne jugent pas leurs fils ? dit Voltaire avec un soupir, tandis qu'ils pénétraient dans le parc de Richelieu.

Le lieutenant général s'était mis d'accord avec le président : on enverrait l'assassin finir ses jours dans un trou discret. Forteresses royales et lettres de cachet étaient aussi la sauvegarde des familles en détresse.

Cette belle entente en pleine tempête fit naître certains doutes chez Voltaire. Un esprit suspicieux eût subodoré que tout cela avait été préparé de longue date. Un sourcil se haussa sous la perruque.

— La marquise est là ? fit Hérault, aussi frétillant qu'un chien de chasse qui a flairé une poule d'eau.

Voltaire eut l'impression que le policier était moins venu pour le féliciter que pour revoir la belle Émilie. Il entrouvrit la porte de l'alcôve. La jeune savante reposait sur son sofa, à demi recouverte par une couverture.

— Elle dort du doux sommeil de l'innocence, s'attendrit Hérault, qui avait une faiblesse pour les grandes femmes volontaires.

— Sans doute, je me fie à vous, répondit Voltaire en refermant la porte au nez du policier.

Il ne comptait pas se lancer dans le métier de montreur de marquises. Ils se firent servir un café bien fort, tel que Voltaire en buvait jusqu'à dix tasses par jour. Hérault lui réclama son exemplaire du *Tabouret de Bassora* volé dans l'armoire du Châtelet et en profita pour demander l'avis du maître, qui tenait en peu de mots :

— La nature a horreur du vide, mais pas les lecteurs de Crébillon. Le style, c'est toute la différence d'un écrivain à un tâcheron.

René Hérault regretta qu'on en fût encore à brûler des livres. Voltaire abonda dans son sens.

— Je désapprouverai qu'on brûle les mauvais livres tant qu'on ne me demandera pas de les lire.

Il referma ce chapitre pour aborder des questions plus poignantes, telles que la susceptibilité des philosophes victimes de manigances policières.

— Vous saviez tout depuis le début ! Vous avez toujours su qui était l'assassin !

Hérault touillait son café.

— Eh bien ? Vous vouliez défendre les personnes, rétablir la justice, combattre la force brutale… Voilà qui est fait, soyez content ! Grâce à vous, on va de nouveau pouvoir foutre en paix, dans Paris.

Voltaire ne croyait pas que le propos de la philosophie fût de permettre aux gens de foutre en paix. Ce qu'il croyait, c'était que le lieutenant général s'était gardé de mettre le doigt dans une affaire à laquelle était mêlé un personnage aussi haut placé qu'un membre du Grand Conseil.

Hérault n'osa pas éclaircir le malentendu. Jamais il n'avait imaginé que Voltaire irait traquer le coupable jusque dans la maison du magistrat. Il avait souhaité l'occuper de façon à empêcher la parution des *Lettres philosophiques*, ce poil à gratter de toute l'administration française. On aurait presque pu lui faire admettre, ce matin-là, que la philosophie avait du bon, tant il était surpris du résultat.

— J'ai lu votre livre, vos *Lettres*, là. Il est plaisant.

Voltaire ressentit la piqûre d'une guêpe en plein milieu de son amour-propre, qui avait la peau fine.

— Plaisant ? Comment ça, « plaisant » ?

Ainsi donc, plus un jour ne passerait sans qu'il se vît insulter. Il y avait quand même quelque chose à tirer du « plaisant » de monsieur le policier.

— Alors ? C'est d'accord ? Je peux publier ?

Cette perspective l'excita comme les sauterelles apprenant que Moïse leur avait obtenu de Yahvé la permission d'envahir l'Égypte. Hélas, Yahvé était plus coulant que le ministre Chauvelin.

— Mon cher Arouet, répondit Hérault, publiez la moindre de vos vingt-cinq petites dissertations acides et vous irez faire des conférences aux rats de la Bastille. Ce n'est pas moi qui vous le dis, c'est le garde des Sceaux.

Voltaire se jugea mal récompensé de ses efforts.

— J'ai quand même échappé à deux tentatives de meurtre !

— Deux ? releva Hérault.

L'épisode de la course en vinaigrette pouvait être raconté, et même il devait l'être. La disparition du valet Céran dans une barrique de saumure prêtait davantage à controverse, Voltaire préféra éluder ce point. Il se désespéra. Verrait-on jamais ses *Lettres* dans les librairies ?

— Allons, dit Hérault, patientez quelques années, soyez sage, tenez-vous bien et vous les aurez, vos lauriers.

Patienter, c'était précisément ce dont Voltaire était incapable.

— La vraie couronne de l'écrivain n'est pas faite de lauriers, mais d'épines !

Il savait désormais que son texte le plus important ne serait jamais publié, qu'il ne deviendrait jamais un penseur célèbre et que son nom ne resterait pas dans l'Histoire.

— En fin de compte, la résolution de cette intrigue ne profite à personne, conclut-il.

— Détrompez-vous ! dit le lieutenant général. J'ai très peu entendu parler de vos *Lettres*, tout ce temps ! Cet assassin m'a offert un été reposant !

Voltaire eut la prémonition qu'on allait l'accabler de tous les décès suspects de Paris et des faubourgs.

— Dites-moi, demanda Hérault, que prenez-vous pour être aussi alerte et bondissant ?

On lui en fit la liste, régime à base de *lens culinaris*[1] et lavements inclus. Le lieutenant général décida qu'il resterait grincheux et mal fichu.

Avant de prendre congé, il le gratifia d'un conseil : mieux valait ne pas prôner le bouleversement des institutions françaises :

— Quand la révolte gronde, la règle est de commencer par pendre les bouffons, ils déconsidèrent le pouvoir avec une arme imparable : le ridicule.

Or c'était à lui, policier en chef, que l'on confierait la corde, et il n'avait guère envie de passer à la postérité pour avoir pendu Voltaire.

À peine Hérault eut-il quitté le joli pavillon que la marquise entrait dans l'antichambre.

---

1. Lentille de cuisine.

— Il est parti ?

— Vous faisiez semblant de dormir ?

— La face du lieutenant général n'est pas ce que j'ai envie de voir à mon réveil. Alors, cet assassin ? C'était bien l'abbé, comme vous disiez ?

— Exactement, ma chère.

Elle félicita son philosophe pour cet heureux dénouement. Il se rengorgea.

— C'est naturel. L'adversité développe l'intelligence.

— C'est le moment où vous ajoutez que vous avez beaucoup souffert ? supposa Émilie.

— Quand on se comprend sans se parler, il faut se marier ou se fuir, conclut Voltaire.

Il offrit à sa muse une tasse de café noir.

— J'ai occupé ma jeunesse à devenir riche, ma maturité à devenir célèbre ; je pense que j'occuperai ma vieillesse à défendre de grandes causes, quand j'en aurai trouvé.

— Nous pouvons nous reposer sur M. Hérault pour vous fournir cela, dit Émilie.

En attendant, ces contes du *Tabouret* avaient donné à l'écrivain l'idée d'en composer un, lui aussi, mais qui ne fût pas licencieux. L'un des personnages imaginaires de Crébillon, ce penseur nommé Gadiz, était une trouvaille. Il y avait là un moyen de faire passer la philosophie dans un éclat de rire, par le biais de petites pérégrinations émaillées de petites énigmes dont le sens caché serait plus profond qu'il n'y semblerait.

Voltaire rit de sa propre ingéniosité. « Mais où vais-je chercher tout ça ? »

REPÈRES BIOGRAPHIQUES

1694   Naissance de François-Marie Arouet à Paris.

1704   François-Marie perd sa mère. Il entre chez les Jésuites de Louis-le-Grand. Ninon de Lenclos lui lègue mille francs pour acheter des livres.

1706   Naissance d'Émilie Le Tonnelier de Breteuil.

1717   Premier séjour à la Bastille.

1718   Succès d'*Œdipe* au théâtre.

1719   François-Marie Arouet prend le nom de Voltaire.

1721   Il tire profit de la débâcle du Système de Law.

1722   Mort de M. Arouet père.

1726   Voltaire est bastonné sur ordre du chevalier de Rohan. Second séjour à la Bastille. Exil en Angleterre.

1731   La police saisit l'*Histoire de Charles XII*. Voltaire s'installe chez Mme de Fontaine-Martel.

1732   Succès triomphal de sa tragédie *Zaïre*.

1733   Mort de Mme de Fontaine-Martel. Début de la liaison avec Émilie du Châtelet. Publication à Londres des *Lettres philosophiques*.

1734   Condamnation des *Lettres philosophiques* au pilori et au feu. Fuite en Lorraine chez les du Châtelet.

1738   Expériences scientifiques avec Émilie.

1745	Séjour à Versailles grâce à la marquise de Pompadour. Voltaire est nommé historiographe de Louis XV.
1746	Élection et réception à l'Académie. Voltaire est nommé gentilhomme ordinaire de la chambre du roi.
1747	Rédaction de *Zadig*. Difficultés à la cour. Incident au jeu de la reine.
1748	Séjour à Nancy, chez le roi Stanislas. Voltaire surprend Émilie dans les bras de Saint-Lambert.
1749	Émilie meurt en couches.
1750	Départ pour Berlin comme chambellan de Frédéric II. Voltaire ne reviendra plus à Paris avant vingt-huit ans.
1753	Voltaire se brouille avec Frédéric II et fuit Berlin. Arrestation d'un mois à Francfort. Louis XV lui interdit de rallier Paris.
1754	Voltaire séjourne à Genève.
1755	Il s'installe aux *Délices*, près de la frontière suisse.
1758	Il achète Ferney et Tournay au président de Brosses. Procès avec le libraire Grasset.
1759	Publication de *Candide*.
1760	Rupture avec Jean-Jacques Rousseau.
1762	Début de l'affaire Calas.
1765	Réhabilitation de Calas.
1766	Exécution du chevalier de La Barre. Tentative pour faire réhabiliter le comte de Lally-Tollendal.
1778	Retour à Paris. Voltaire est reçu à la loge des Neuf Sœurs. Il décède chez le marquis de Villette. Mort de Rousseau trois jours plus tard. Enterrement clandestin de Voltaire dans l'abbaye de Sellières à cinq heures du matin.

Je suis enfin vis-à-vis ce beau portail, dans le plus vilain quartier de Paris, dans la plus vilaine maison, plus étourdi du bruit des cloches qu'un sacristain, mais je ferai tant de bruit avec ma lire que le bruit des cloches ne sera plus rien pour moi. Je suis malade, je me mets en ménage, je souffre comme un damné, je brocante, j'achète des magots et des Titiens, je fais mon opéra, je fais transcrire *Ériphyle* et *Adélaïde*, je les corrige, j'efface, j'ajoute, je barbouille. La tête me tourne.

Le 15 mai

Je vous prie de lui recommander secret, diligence et exactitude, et surtout de ne laisser entre les mains d'une famille si exposée aux lettres de cachet aucun vestige, aucun mot d'écriture ni de vous ni de moi. Qu'il vous rende tous les manuscrits.

Si vous voyez J., ayez la bonté je vous en prie de lui dire de m'envoyer les épreuves par la poste. Il n'a qu'à les adresser à M. du Breuil, cloître Saint-Merry, sans mettre mon nom et sans écrire.

Le 21 mai

Je viens de relire ces lettres anglaises, moitié frivoles, moitié scientifiques. En vérité, ce qu'il y a de plus passable dans ce petit ouvrage est ce qui regarde la philosophie ; et c'est, je crois, ce qui sera le moins lu. On a beau dire, le siècle est philosophe. On n'a pourtant pas vendu deux cents exemplaires du petit livre de M. de Maupertuis, où il est question de l'attraction ; et si on montre si peu d'empressement pour un ouvrage écrit de main de maître, qu'arrivera-t-il aux faibles essais d'un écolier comme moi ? Heureusement, j'ai tâché d'égayer la sécheresse de ces matières et les assaisonner au goût de la nation. Me conseillez-vous d'y ajouter quelques petites réflexions détachées sur les *Pensées* de Pascal ? Il y a déjà longtemps que j'ai envie de combattre ce géant. Il n'y a guerrier si bien armé qu'on ne puisse percer au défaut de la cuirasse ; et je vous avoue que si, malgré ma faiblesse, je pouvais porter quelques coups à ce vainqueur de tant d'esprits, et secouer le joug dont il les a affublés… Au reste, je m'y prendrai avec précaution, et je ne critiquerai que les endroits qui ne seront point tellement liés avec notre sainte religion qu'on ne puisse déchirer la peau de Pascal sans faire saigner le christianisme.

Le 1ᵉʳ juin

Je lui répète encore qu'il faut qu'il ne fasse rien sans un consentement précis de ma part, que s'il précipite la vente, lui et toute sa famille seront indubitablement à la Bastille, que s'il ne garde pas le secret le plus profond, il est perdu sans ressource. Encore une fois, il faut supprimer tous les vestiges de cette affaire, il faut que mon nom ne soit jamais prononcé, et que tous les livres soient en séquestre jusqu'au moment où je dirai « partez ».

Le 26 juin

Il y a des temps où on fait tout impunément. Il y en a d'autres où rien n'est innocent. Je suis actuellement dans le cas d'éprouver les rigueurs les plus injustes sur les sujets les plus frivoles. Peut-être, dans deux mois d'ici, je pourrai faire imprimer l'*Alcoran*.

Le 24 juillet

Je voudrais vivre en France et j'y suis persécuté. Je voudrais en sortir et la situation présente de ma fortune me retient. Je vis aux dépens de Dumoulin. J'y suis forcé, un gros argent mis entre ses mains et qu'il n'a pu me rendre est cause que je dépends en quelque façon de lui. Il me loge, il me nourrit pour mon argent. Je serais bien embarrassé si j'étais ailleurs. Je mène par ses soins une vie douce avec un homme de lettres dont je prends soin.

Le 27 juillet

Il y a deux jours que j'attends Jore à tout moment. Il est à Paris, à ce que je viens d'apprendre, mais il n'a point couché cette nuit chez lui et je ne l'ai point vu. J'ai bien peur qu'il n'ait couché dans cet affreux château, palais de la Vengeance.

Le 28 juillet

Je ne suis pas sûr de ma liberté. On me persécute, on me fait tout craindre, et pourquoi ? Pour un ouvrage innocent qui un jour sera regardé assurément d'un œil bien différent. On me rendra un jour justice, mais je serai mort, et j'aurai été accablé pendant ma vie dans un pays où je suis peut-être, de tous les gens de lettres, le seul qui mette quelque prescription à la barbarie.

Le 28 juillet

Les lettres philosophiques, politiques, critiques, poétiques, hérétiques et diaboliques se vendent en anglais à Londres avec un grand succès. Mais les Anglais sont des papefigues[1] maudits de Dieu, qui sont tous faits pour approuver l'ouvrage du démon. J'ai bien peur que l'Église gallicane ne soit un peu plus difficile. Jore m'a promis une fidélité à toute épreuve. Je ne sais pas encore s'il n'a pas fait quelque petite brèche à sa vertu. On le soupçonne fort, à Paris, d'avoir débité quelques exemplaires. Il a eu sur cela une petite conversation avec M. Hérault ; et, par un miracle plus grand que tous ceux de saint Pâris[2] et des apôtres, il n'est point à la Bastille. Il faut bien pourtant qu'il s'attende à y être un jour. Il me paraît qu'il a une vocation déterminée pour ce beau séjour. Je tâcherai de n'avoir pas l'honneur de l'y accompagner.

Le 15 août

Cette belle âme est une étoffe
Qu'elle brode en mille façons.
Son esprit est très philosophe
Et son cœur aime les pompons.
J'avouerai qu'elle est tyrannique.
Il faut pour lui faire sa cour,
Lui parler de métaphysique
Quand on voudrait parler d'amour.

Le 29 août

Jore devrait déjà être reparti pour Rouen avec un ballot de vers de ma part, mais le pauvre diable est actuellement caché dans un galetas, espérant peu en Dieu et craignant fort les exempts. Un nommé Vanneroux, la terreur des

1. Mot forgé par Rabelais pour désigner les hérétiques.
2. Saint des jansénistes très célèbre dans ces années-là.

jansénistes, est parti pour aller fureter dans Rouen et pour voir si Jore n'aurait pas imprimé certaines lettres anglaises que l'on croit ici un ouvrage du malin. Jore jure qu'il est innocent, qu'il ne sait ce que c'est que tout cela et qu'on ne trouvera rien. Je ne sais si je le verrai avant le départ clandestin qu'il médite pour revenir voir sa très chère patrie. Je vous prie, quand vous le reverrez, de lui recommander extrêmement la crainte du garde des Sceaux. […] Il est convaincu de ce qu'il doit faire, mais ce n'est pas assez d'avoir la foi si vous ne le confirmez dans la pratique des bonnes œuvres.

Je reste constamment dans mon ermitage, où je mène une vie philosophique troublée quelquefois par des coliques et par la sainte inquisition qui est à présent sur la littérature. Il est triste de souffrir, mais il est plus dur encore de ne pouvoir penser avec une honnête liberté. […] Pourquoi faut-il subir les rigueurs de l'esclavage dans le plus aimable pays de l'univers, que l'on ne peut quitter et dans lequel il est si dangereux de vivre ?

Il n'y a guère de semaines où je ne reçoive des lettres des pays étrangers par lesquelles on m'invite à quitter la France.

Le 15 septembre

J'aime fort Linant. Mais à parler sérieusement, il n'est pas bien sûr encore qu'il ait un de ces talents marqués sans qui la poésie est un bien méchant métier. Il serait bien malheureux s'il n'avait qu'un peu de génie avec beaucoup de paresse. Il voulait être précepteur, et à peine sait-il le latin. Il doit compter le besoin qu'il a de travailler beaucoup et de mettre à profit un temps qu'il ne retrouvera plus. S'il avait du bien, je lui donnerais d'autres conseils, ou plutôt je ne lui en donnerais point du tout. Mais il y a une différence si immense entre celui qui a sa fortune toute faite et celui qui doit la faire, que ce ne sont pas deux créatures de même espèce.

Le 26 septembre

Si vous étiez assez aimable pour venir aujourd'hui chez Mme du Châtelet, vous me combleriez de joie. J'ai une espèce de diarrhée, cependant je viendrai chez vous à l'heure qu'il vous plaira.

À M. de Maupertuis, le 28 septembre

Crébillon était grand et bien fait. L'habitude qu'il avait de froncer ses sourcils épais imprimait à sa physionomie quelque chose de rude. Il vécut dans le plus complet isolement, livré à une misanthropie bizarre, misérable, malpropre, souvent déguenillé, fumant sans cesse, affranchi de toutes les convenances sociales, et n'ayant pour compagnie dans son grenier que des chiens qu'il ramassait dans les rues, des corbeaux et surtout des chats. Il composait ses tragédies en marchant avec animation, en gesticulant d'une manière fiévreuse et en poussant parfois des cris effroyables. Un jardinier, le prenant pour un fou ou pour un scélérat en proie à des remords, faillit un jour le faire arrêter.

Grand Dictionnaire Larousse du XIXᵉ siècle

La folie Richelieu, construite par le duc en 1730 pour ses plaisirs personnels, s'étendait avec ses jardins jusqu'à la rue Blanche. Il s'y tint des réunions assez osées, tels ces repas en costumes adamiques servis dans un pavillon isolé au milieu d'un parc touffu. Louis XV vint y souper avec Mme de Pompadour.

Jacques Hillairet,
Dictionnaire historique des rues de Paris

Voltaire parlait assez bien l'anglais, mais avec un fort accent, et préférait le lire. En un mot, sa pratique de l'anglais était très française. L'orthographe d'une lettre écrite le 2 août 1772 permet de se faire une idée de sa prononciation :

You mos write him that I am hees great admeerer ; he is a very great onor to Ingland, and abofe all to Ecosse.

REMERCIEMENTS

L'auteur remercie Mme Fanny Wilk et l'association Le Ministère des Modes, dont les magnifiques reconstitutions de costumes du XVIIIe siècle lui sont toujours d'une aide précieuse pour donner vie aux personnages romanesques.

Il tient aussi à exprimer sa reconnaissance à Mme Annie Jay, romancière et historienne de grand talent, qui lui a procuré l'illustration originale utilisée pour la couverture de la première édition.

Du même auteur :

Les Fous de Guernesey ou les Amateurs de littérature,
    Robert Laffont, 1991.
L'Ami du genre humain, Robert Laffont, 1993.
L'Odyssée d'Abounaparti, Robert Laffont, 1995.
Mlle Chon du Barry, Robert Laffont, 1996.
Les Princesses vagabondes, Lattès, 1998.
La Jeune Fille et le Philosophe, Fayard, 2000.
Un beau captif, Fayard, 2001.
*La Pension Belhomme, une prison de luxe sous la
    Terreur*, Fayard, 2002.
*Douze tyrans minuscules, les policiers de Paris sous
    la Terreur*, Fayard, 2003.
L'Orphelin de la Bastille, tomes 1 à 5, Milan, 2002-
    2006.
Les Nouvelles Enquêtes du juge Ti, tomes 1 à 18, Fayard
    et Points Seuil, 2004-2011.
La baronne meurt à cinq heures, Lattès, 2011.
Le diable s'habille en Voltaire, Lattès, 2013.
Crimes et condiments, Lattès, 2014.

PAPIER À BASE DE
FIBRES CERTIFIÉES

Le Livre de Poche s'engage pour
l'environnement en réduisant
l'empreinte carbone de ses livres.
Celle de cet exemplaire est de :
300 g éq. CO_2
Rendez-vous sur
www.livredepoche-durable.fr

Composition réalisée par PCA

Achevé d'imprimer en juin 2014 en France par
CPI BRODARD ET TAUPIN
La Flèche (Sarthe)
N° d'impression : 3005877
Dépôt légal 1re publication : juillet 2014
LIBRAIRIE GÉNÉRALE FRANÇAISE
31, rue de Fleurus – 75278 Paris Cedex 06

31/6889/5